A first Italian reader fo

Herbert W Smith B A [Hons] F I L

Lecturer in Italian, University of Bath

University of London Press Ltd

Acknowledgments

Thanks are due to the following for permission to include copyright material: 'Town and Country' and 'The Readers' Digest' (27); G. B. Paravia Editore, Torino (31); Rizzoli Editore, Milano (33); Arnoldo Mondadori Editore, Milano (34); Charles Bode and Giulio Einaudi Editore, Torino (35).
It has proved impossible to contact the copyright owner of No. 21, but the publisher will, if notified, be pleased to make full acknowledgment in subsequent editions.

ISBN 0 340 11814 8

Illustrations by Christine Tacq

University of London Press Ltd
St Paul's House, Warwick Lane, London EC4

Printed and bound in Great Britain by
T. & A. Constable Ltd, Edinburgh

Introduction

This book is intended for evening class students, but may also be useful to sixth-formers and to students at universities and higher education establishments. I have assumed that students using the book will have done one year or more (say two hours a week class time) on a standard course of Italian, and that therefore, armed with a good grasp of the basic grammar and the main tenses, they are now ready to begin a reader.

As far as possible, the passages are presented in order of difficulty. I have sought to include passages which are meaningful to adult students and I hope that the 'situational' items, all of which represent situations which may be met with in everyday life, will be found helpful. Nearly all the passages are of my own composition and numbers 24 and 32 are genuinely autobiographical. I have included three extracts from modern literature and, at my editor's suggestion, one passage from an Italian translation of an English work. The later passages, some of which may present quite a challenge, have extensive notes on idiom and syntax, and unfamiliar lexical usages are carefully explained. The questions at the end of each piece, while chiefly of the traditional type, do sometimes demand more than a superficial knowledge of the text, and I have also included several personal questions which are connected with the material in the texts. It is all too easy for answers to be taken verbatim from the body of the text, but wherever I could I have endeavoured to test the reader's comprehension to a more searching level than that. Where an unusual tonic accent might cause difficulty, it has been indicated by an acute accent.

It remains for me to express my deep gratitude to Mrs Carla McFarlane (*née* Gavioli), teacher of Italian at the Sainte Union Convent School and at Bath Technical College for her kindness in reading through the manuscript and making a number of helpful suggestions; to Dottoressa Isabella Ranieri of Bristol University for kindly checking the proofs; to Mr Ronald Kirkman, former Modern Languages Editor of University of London Press Ltd for his interest and helpfulness, and finally to my students at the University for so willingly acting as 'guinea-pigs' whenever I have tried out material from the manuscript on them.

H. W. S.

Contents

1 La lingua italiana

La lingua italiana è una lingua bella ed armoniosa. Fortunatamente, non è troppo difficile, specialmente per gli studenti che hanno già una conoscenza del latino, o del francese, o di tutt'e due queste lingue. Però, non è obbligatorio conoscere altre lingue prima di imparare l'italiano: la buona volontà e l'entusiasmo sono le cose essenziali.

È molto utile imparare l'italiano, e molte persone l'imparano. Frequentano delle classi serali, o ascoltano programmi alla radio o alla televisione; questi programmi sono eccellenti, e tanto popolari.

L'italiano è la lingua della musica, della cultura, della bella poesia – la lingua di Dante,[1] del Petrarca,[2] e di tanti altri poeti e scrittori.

Expressions

tutt'e due	both
frequentano delle classi serali	they attend evening classes

Questions

1 Com'è la lingua italiana?
2 È utile conoscere altre lingue prima di cominciare ad imparare l'italiano?
3 Che tipo di classi frequentano molte persone?
4 È molto difficile la lingua italiana?

Notes

1 *Dante* Dante Alighieri, of Florence, the supreme poet of Italy (1265–1321).
2 *Petrarca* (1304–1374) Famous poet and scholar, the second of the great triad of the 14th century, known as the *Trecentisti.* The third of the group was Giovanni Boccaccio, author of the *Decameron.*

2 Due studenti

Il signor Robinson abita con i genitori a Londra, in un bel-l'appartamento non lontano dall'abbazia di Westminster. Ha ventun anni, ed è impiegato in una banca. Desidera fare una visita in Italia l'anno venturo, con un amico, e perciò frequenta ogni giovedì sera una classe d'italiano organizzata dall'istituto tecnico vicino alla strada dove abita.

La classe comincia alle sette, e finisce alle nove. Durante il giorno, dunque, lavora in banca, ma la sera, a casa, prepara i compiti, legge e scrive un po' l'italiano, e quando frequenta le classi, dà alla professoressa da correggere i compiti e gli esercizi che ha preparati. Robinson è un bravo studente. Lavora di buona lena, e fa dei buoni progressi. Quando va in Italia, spera di potere parlare un po' la lingua, e di capire abbastanza bene gl'italiani.

Auguri allora, Robinson, e buone vacanze!

Il signor Brown abita a Londra, anche lui. Studia due lingue per la laurea – l'italiano e il tedesco – a un'università nell'Inghilterra settentrionale, a molta distanza da Londra. Studia non soltanto la lingua ma anche la letteratura. Prende tante note, fa dei temi, e legge molti libri italiani – non soltanto la prosa, ma anche la poesia. Parla bene la lingua italiana, e ogni anno va in Italia per alcune settimane. Anche Brown lavora molto, e spera l'anno venturo di conseguire la laurea.

Tanti auguri, Brown. In bocca al lupo!

Expressions

fare una visita	to pay a visit; to visit
prepara i compiti	he does his homework
un bravo studente	a good student
lavora di buona lena	he works with a will
nell'Inghilterra settentrionale	in the North of England
conseguire la laurea	to get his degree
in bocca al lupo! [1]	and the best of luck!

Questions

1 Dove lavora il signor Robinson?
2 Abita da solo?
3 In che modo impara l'italiano Robinson?
4 Quanto tempo dura la classe?
5 È un professore che insegna l'italiano agli studenti?
6 Il signor Brown è uno studente serale?
7 Il signor Brown frequenta i corsi dell'università di Londra?
8 È pigro il signor Brown?
9 Perchè studia l'italiano?
10 E Lei, perchè impara l'italiano?

Note

1 *in bocca al lupo* one says this generally to any candidate taking an exam. (Lit. 'In the wolf's mouth.')

3 La mia casa

Ecco la mia casa. Non è molto grande, ma è comoda, e mi piace tanto. Piace anche a tutti i miei amici. È in campagna, vicino a un bel fiumicello e un piccolo bosco. Dietro alla casa c'è un giardino, con molti fiori, e alcuni vecchi alberi.

La casa non è moderna, anzi, è vecchia; risale all'anno 1768, cioè, a duecento anni fa, ma dentro è stata un po' modernizzata. Ha cinque piccole stanze, ma la stanza che mi piace di più è il salotto. Il soffitto è molto basso, e c'è soltanto una sola finestra che non è grande. Nel salotto ci sono alcuni mobili – una tavola, tre sedie, una poltrona, una piccola credenza e, naturalmente, il televisore. Il pavimento è ricoperto da un tappeto verde.

Il mio gatto è seduto, oppure sdraiato, davanti al caminetto, dove c'è un fuoco, perchè è inverno, e fa freddo. A destra del caminetto c'è un bellissimo paralume. Sulle pareti ci sono parecchi bei quadri che piacciono a tutti i miei amici.

Mi piace tanto andare in salotto la sera, dopo cena, e distendermi dopo le preoccupazioni della giornata. Non guardo sempre il vídeo del televisore, poichè i programmi non sono sempre interessanti. Qualchevolta preferisco leggere un libro o una rivista. Il tipo di libro che mi piace di più è un romanzo storico, e il mio romanzo storico preferito è il romanzo più celebre dell'Italia, intitolato – *I Promessi Sposi*, di Alessandro Manzoni;[1] l'ho letto parecchie volte. Un altro romanzo che ho letto spesse volte è *Il Mulino del Po* di Riccardo Bacchelli,[2] e ne ho un'edizione di lusso, rilegata in pelle, in tre volumi. Lo scaffale è nella mia camera da letto, e contiene quasi tutti i miei libri.

Certo, non scambierei la mia piccola casa per il palazzo più lussuoso del mondo!

Expressions

risale all'anno 1768	it dates back to the year 1768
davanti al caminetto	in front of the hearth
distendermi dopo le preoccupazioni della giornata	to relax after the cares of the day
che mi piace di più	which I like most
rilegata in pelle	bound in leather

Questions

1 È grande la mia casa?
2 È in città?
3 A quale anno risale?
4 Dov'è sdraiato il gatto?
5 Perchè non guardo sempre il video?
6 Che tipo di libro mi piace di più?
7 Che tipo di edizione possiedo del *Mulino del Po?*
8 Dov'è il mio scaffale?

Notes

1 *A. Manzoni* (1785-1873) considered the greatest Italian writer of Modern times, was a poet, novelist and critic. His fame today rests chiefly on his great historical novel, here mentioned, the main characters of which are as well known to the Italians as Shakespeare's are to the English.
2 *R. Bacchelli* (1891-) famous writer, critic and essayist. This novel is really an historical trilogy, written between 1938 and 1940.

4 Andando al mercato

Sono le otto e mezzo. La signora Rossi esce a fare la spesa. Purtroppo non fa bel tempo: tira vento, e piove a catinelle, e la signora Rossi ha perduto l'ombrello. Deve prendere un filobus per andare al mercato.

Fortunatamente, davanti a casa sua c'è una fermata facoltativa, dove ci sono parecchie persone che aspettano. La signora Rossi aspetta con gli altri con pazienza, e parla con le amiche. Ecco infine un filobus, ma è pieno, e non si ferma. Dopo cinque minuti un altro filobus appare. Molte mani si levano; il filobus si ferma.

La signora Rossi vi sale, paga il biglietto, e si accomoda. Arriva al mercato dopo pochi minuti, scende con le sue amiche, e comincia a guardare le merci. È uno dei posti più interessanti della città, poichè lì si vendono merci di ogni tipo.

Alle dieci e mezzo la signora Rossi entra in un caffè con la signora Ambrosini, una sua amica. Tutte e due desiderano un caffè, e qualcosa da mangiare. Il cameriere viene e domanda:

– Buon giorno, signore. Che cosa prendono?

– Per me, un espresso, – dice la signora Rossi, poi domanda alla sua amica:

– Cosa prendi tu, Antonietta?

– Per me, un tè al limone, – risponde. Ma ho anche fame. Mi porti dei dolci, per favore.

Verso le undici le due signore escono del caffè, e prendono il filobus per rincasare.

Expressions

esce a fare la spesa	is going out shopping
tira vento e piove a catinelle	it's windy and pouring with rain
c'è una fermata facoltativa	there's a request stop
molte mani se levano	many hands are raised
lì si vendono merci	goods are sold there
ho anche fame	I'm hungry as well
Mi porti	Bring me
Verso le undici	About 11 o'clock
vi[1] *sale*	gets in
tutte e due	both (of them)

Questions

1 Quando esce a fare la spesa la signora Rossi?
2 Che tempo fa?
3 Perchè il primo filobus non si ferma?
4 Quando il filobus arriva al mercato, che cosa fa la signora Rossi?
5 Dove va la signora Rossi alle dieci e mezzo?
6 La signora Ambrosini desidera soltanto un tè al limone?
7 A che ora escono dal caffè le due signore?
8 Prendono il treno per tornare a casa?

Note

1 *vi sale* the adverbial *vi*, *ci*, means 'there' (*to* or *in* a place) etc.

5 Tre città dell'Italia settentrionale

La capitale d'Italia è Roma, ma il vero centro economico ed industriale del paese è Milano, che è anche il centro ferroviário più importante di tutta l'Italia. Roma è piuttosto il centro del turismo e dell'amministrazione, ed è anche la capitale ecclesiastica.

A Milano si trova la maggior parte delle case editrici, per esempio Mondadori, Feltrinelli, Signorelli, e tante altre, mentre il giornale principale di Milano – il *Corriere della Sera* – è conosciuto in tutta la penisola, ed ha una tiratura immensa.

Milano non è una bella città. La sua posizione non offre panorami pittoreschi, e i suoi monumenti più celebri sono dispersi in varie parti della città. Inoltre è senza fiume e senza montagne, eppure ha un incanto tutto suo.

La seconda città industriale è Torino, anch'essa nell'Italia settentrionale. È famosa soprattutto per la vasta fabbrica della 'Fiat' – (Fabbrica italiana automobili di Torino) – che ora è la più grande d'Europa. Torino è anche la città dell'eleganza e della moda, già capitale del Regno della Sardegna, e fu la prima capitale dell'Italia unita. Si dice che Torino è la città meno tipicamente italiana di tutta la penisola, e la si chiama la 'Parigi italiana'.

Un'altra città importante dell'Italia settentrionale è Bologna (quasi nella regione centrale della penisola). Bologna, capoluogo dell'Emilia, è conosciuta in tutto il mondo come la città della buona cucina. Qui, i buongustai possono scegliere fra una varietà di piatti squisiti – specie le famose tagliatelle alla bolognese,[1] le lasagne al forno,[2] e i ravioli al sugo.[3] Per di più, i vini dell'Emilia sono tra i vini da tavola più pregiati d'Italia. Bologna, chiamata 'La grassa e la dotta', è anche un centro industriale sempre più prospero, un centro ferroviario molto importante, e sede dell'università più vecchia d'Europa. Bologna possiede anche la sua 'torre pendente' – la Torre della Garisenda – e l'altra torre, che è molto più alta, è la famosa torre degli Asinelli.

Expressions

la maggior parte delle case editrici[4]	the majority of the publishers
ha un incanto tutto suo	it has a charm all its own
si dice che	they say that
la si chiama	people call it
i buongustai possono scegliere fra una varietà di piatti squisiti	gourmets can choose from a range of delicious dishes. *Squisito* is a good adjective to apply to food and drink. *Don't* use *delizioso*

Per di più	What is more
vini da tavola	table wines
possiede anche la sua 'torre pendente'	also possesses its 'leaning tower'

Questions

1 In che senso si può chiamare Milano la 'capitale italiana'?
2 Dove si trova la maggior parte delle case editrici italiane?
3 Milano è molto importante come centro del turismo?
4 Perchè Bologna piace ai buongustai?
5 Perchè Bologna si chiama' . . . la dotta'?
6 Torino è una tipica città italiana?
7 Ha visitato una o più di queste tre città?

Notes

1 *tagliatelle alla bolognese* a delicious kind of flat spaghetti served with meat sauce.
2 *lasagne al forno* baked *lasagne.*
3 *ravioli al sugo* small squares of pasta, filled with meat and served with sauce.
4 *case editrici* lit. 'publishing houses' but Italian prefers the function to the functionary, as a rule.

6 Un po' di geografia

L'Italia confina con la Francia, la Svizzera, l'Austria e la Iugoslavia. Le Alpi, una catena di alte montagne, ne costituiscono la frontiera naturale. Ci sono diversi passi sulle Alpi e gallerie che le attraversano, quali il Sempione, il San Gottardo, e il Brennero.

L'Italia settentrionale a nord è dunque una regione alpina, e a nord-ovest si trova la bella Valle d'Aosta, celebre per gli sport invernali, nonchè la zona delle Dolomiti, il cui centro è Cortina d'Ampezzo. A sud delle Alpi, c'è la grande pianura lombarda-emiliana, molto fertile, e tra le città principali di questa regione sono Milano, Bologna, Piacenza, Reggio Emilia, Parma e Ferrara. A nord-ovest si trovano Torino e Genova: Torino è importante per l'industria automobilistica, e Genova per il porto. Nell'Italia settentrionale ci sono anche tre laghi molto importanti: – il Lago Maggiore, il Lago di Como, e il Lago di Garda.

L'Italia centrale e meridionale è montagnosa, e gli Appennini formano una specie di spina dorsale alla penisola, rendendo molto difficili le comunicazioni. L'autostrada del Sole è un vero capolavoro d'ingegneria, e non c'è da meravigliarsi che gl'Italiani siano tra i migliori costruttori d'Europa.

Da Roma in giù le sole grandi città sono Napoli e Bari. Roma, la capitale, non è una città industriale; vive per lo più del turismo.

Expressions

il Sempione, il San Gottardo e il Brennero	the Simplon, the St. Gothard and the Brenner
una specie di spina dorsale	a sort of backbone
non c'è da meravigliarsi[1]	it is not to be wondered at, it is not surprising
da Roma in giù	below Rome; south of Rome
per lo più	mostly

Questions

1 Con quali paesi confina l'Italia?
2 Quali zone dell'Italia settentrionale sono celebri per gli sport invernali?
3 In che parte dell'Italia si trovano tre laghi importanti?
4 Perchè le comunicazioni nell'Italia centrale e meridionale sono molto difficili?
5 Che cosa è l'Autostrada del Sole?

Note

1 *non c'è da meravigliarsi che gli Italiani siano* present subjunctive mood of the 3rd person plural of *essere*. See footnote 3 of Article 18.

7 Nel tram a Milano

Stamattina andiamo a vedere un nostro cugino che abita in Corso San Gottardo. Prendiamo il tram in Piazza Cordusio. Quanto traffico! Ecco qui l'entrata di una delle stazioni della nuova metropolitana. I milanesi vanno tanto orgogliosi di questa bella ferrovia sotterranea – nuova fiammante! Forse è la più moderna dell'Europa.

Ecco il bigliettario. È seduto davanti ad una specie di piccolo banco contenente dei piccoli scompartimenti per i biglietti ed il denaro. È entrata nel tram tutta quanta la comitiva? Sì, finalmente, meno male!

– Quanti sono, signore? – domanda il bigliettario.

– Siamo in otto; tre adulti, e cinque bambini – rispondo. – Mi dispiace, ma non ho spiccioli.

– Non importa, signore, – dice il bigliettario. – Ecco il resto.

– Avanti ! Avanti signori! – grida il bigliettario.

Noi cerchiamo di passare avanti, ma non è facile, perchè il tram è proprio affollatissimo. Bisogna dire 'Permesso!' ogni volta che si passa davanti a persone che stanno in piedi. Purtroppo io pesto i piedi ad una signorina, e dico subito:

– Oh, Le chiedo scusa, signorina!

– Prego, – risponde lei, con un sorriso.

Ecco un avviso che dice – 'Non parlare con il conducente' e un altro, attaccato ad un sedile – 'Riservato ai mutilati e alle persone anziane'.

Certamente, ci sono più posti a sedere negli autobus inglesi (purtroppo non ci sono più tram!) e i sedili sono più comodi di quelli italiani.

– Perchè il tram è così affollato? – chiede mia moglie.

– Non dimenticare che è l'ora di punta, – rispondo. – Ad ogni modo, scendiamo alla prossima fermata.

Dico ai bambini – Attenzione allo scalino, e badate a non cadere!

Eccoci finalmente in Corso San Gottardo, e di faccia vediamo la Porta Ticinese.

Expressions

quanto traffico!	what a lot of traffic!
vanno tanto orgogliosi di	are so proud of
nuova fiammante	brand new
contenente dei piccoli scompartimenti	containing little divisions
tutta quanta la comitiva	the whole party
meno male!	thank goodness!
siamo in otto	there are eight of us
mi dispiace	I'm sorry
non importa	it doesn't matter
avanti!	move along!
il tram è proprio affollatissimo	the tram is really terribly full
permesso!	excuse me!
persone che stanno in piedi	people standing
io pesto i piedi ad una signorina	I tread on a young lady's toes
Le chiedo scusa!	I beg your pardon!
prego	don't mention it, not at all
posti a sedere	seats (in a public service vehicle)
di quelli italiani	than the Italian ones
l'ora di punta	the rush-hour
ad ogni modo	anyway
attenzione allo scalino!	mind the step!
badate a non cadere!	take care not to fall!
di faccia	opposite (us)

Questions

1 Di che cosa vanno tanto orgogliosi i milanesi?
2 Quante persone ci sono in questa comitiva?
3 Perchè è difficile passare avanti?

4 Perchè il signore dice alla signorina – Oh, Le chiedo scusa, signorina!?
5 I sedili negli autobus inglesi sono meno comodi di quelli italiani?
6 Perchè è affollato il tram?
7 Dove scendono?
8 Lei preferisce i tram, o gli autobus? Perchè?

8 La moglie bisbetica

Ho incontrato la signora Gozzi un paio di settimane fa, e si è lamentato del marito. Ora, secondo me, questi è un tipo assai simpatico, e sua moglie è veramente bisbetica. Ecco quello che mi dice del povero marito Carlo:

– Mio marito è un fannullone, un mascalzone, e tanto sgarbato. Figurati! Beve dalla bottiglia, legge a tavola, e bestemmia di continuo. È anche irascibile e geloso, rincasa tardi, dicendomi che deve lavorare fino a tarda notte all'ufficio. Ma il peggio è che dimentica sempre le ricorrenze. Dovrei separarmi da lui.

Ieri Carlo ha telefonato a mio marito. Ecco quello che gli ha detto:

– Guido, non ne posso più! La vita con mia moglie è insopportábile. Mi segue ovunque, è chiacchierona, mi trascura per i bambini, e ignora del tutto il mio lavoro. Ancora peggio, sta sempre al telefono, spende troppo comprando degli abiti di lusso, e sai perchè io sono così magro? Mia moglie detesta cucinare, e la famiglia ha sempre fame. Per di più, indossa sempre la vestaglia in casa, e va a letto coi bigodini. E oggi parla di una separazione legale! Però, può ben far ciò che vuole! Non me ne importa niente!

Povero Carlo!

Expressions

un paio di settimane fa	a couple of weeks ago
secondo me	in my opinion
assai simpatico[1]	very nice
è veramente bisbetica	she's really shrewish
figurati!	just fancy!
beve alla bottiglia	he drinks out of the bottle
fino a tarda notte	until late at night
dovrei separarmi da lui	I ought to live apart from him
ignora del tutto	she completely ignores
la famiglia ha sempre fame	the family's always hungry
per di più	what's more
può ben far ciò che vuole	she can jolly well do as she pleases
non me ne importa niente	I couldn't care less

Questions

1 Chi si è lamentato del marito?
2 Qual'è, secondo la moglie, il peggiore dei difetti del signor Gozzi?

3 La vita con sua moglie è felice per Carlo?
4 Perchè ha sempre fame la famiglia di Carlo?
5 Secondo Carlo, la moglie indossa sempre la vestaglia in casa; perchè non gli piace?
6 Che cosa ha minacciato di fare la signora Gozzi?

Note

1 *assai simpatico* not the same as the French *assez*, which in Italian is *abbastanza*.

9 I pasti italiani[1].

Agli italiani piacciono dei pasti sostanziosi, e la cucina italiana è veramente buonissima. Però, quando si tratta del primo pasto del giorno, gl'inglesi fanno una prima colazione molto più abbondante degl'italiani. La prima colazione in Italia è essenzialmente un pasto molto leggero, e consiste di solito di una tazza di caffè, e forse un panino con burro e marmellata. I turisti inglesi preferiscono generalmente la marmellata d'arance che assomiglia al *marmalade*. Verso le undici, gl'italiani fanno uno spuntino, e verso l'una si fa colazione. Il primo piatto consiste di una minestra, oppure della pasta asciutta. Poi segue il piatto principale – di carne o pesce, con contorno di verdura, patate, ecc. Ci sono vari dolci in Italia, ma gl'italiani preferiscono di solito della frutta e del formaggio. Alla fine della colazione, si prende un caffè e qualche volta anche un liquore. Il pranzo, la sera, è un altro pasto sostanzioso che assomiglia alla colazione.

La cucina italiana è squisita, e molto saporita, forse perchè la donna italiana preferisce fare la spesa ogni giorno, e in conseguenza i cibi sono freschissimi. Gl'italiani mangiano relativamente pochi cibi in scatola o congelati.

Abbiamo omesso di parlare dei vini! C'è un'ottima scelta di vini da pasto, e i turisti inglesi non tralasciano di sfruttare questa possibilità meravigliosa di bere due o tre bicchieri di buon vino a colazione e a pranzo la sera. Paese che vai, usanze che trovi!

Expressions

quando si tratta del primo pasto	when it's a matter of the first meal, when it comes to the first meal
consiste di solito	it usually consists
cibi in scatola o congelati	tinned or frozen foods
c'è un'ottima scelta di vini da pasto	there's an excellent choice of table wines
non tralasciano di sfruttare questa possibilità	rarely fail to take full advantage of this opportunity
paese che vai, usanze che trovi!	when in Rome, do as Rome does!

Questions

1 Che tipo di pasti piace agli italiani?
2 Che genere di marmellata piace di più agli inglesi alla prima colazione?
3 Verso che ora si fa colazione in Italia?
4 Di che cosa consiste generalmente il piatto principale?
5 Che cosa mangiano spesso gl'italiani invece di un dolce?
6 Agl'italiani piacciono molto i cibi in scatola o congelati?
7 Qual'è la bevanda preferita dagli inglesi quando fanno colazione in Italia?
8 Le piace la cucina ed i vini italiani?

Note

1 *I pasti italiani* In the south of Italy, the first meal of the day is called *la colazione*, the meal in the middle of the day is called *il pranzo* and the evening meal *la cena*.

10 La giornata del signor Puccini

Il signor Puccini abita in Viale Sant'Ambrogio a Milano. Ha quasi cinquant'anni, è grassoccio, ed è scapolo. È capo ufficio in una ditta che ha un grosso giro d'affari con l'Inghilterra.

È molto ben curato nel suo alloggio, dove abita da parecchi anni. Si alza generalmente alle sette, ma siccome ha il sonno duro, la sua padrona di casa deve spesso svegliarlo.

Il signor Puccini, dunque, si alza, si lava, si veste, si fa la barba, e poi scende per far la prima colazione.

– Buon giorno, signor Puccini, – dice la signora Lanzi, – ha dormito bene?

– Benissimo, grazie, e Lei?

– Purtroppo, ho dormito poco; quel dente mi fa tanto male. Devo andare dal dentista oggi, senz'altro.

– Già, – dice il signor Puccini. – Il mal di denti non è mica cosa gradevole. Non manchi di telefonare stamattina per fissare un appuntamento.

– Non mancherò, – risponde la signora Lanzi. – Uh! Non fa bello, oggi, e vuol piovere. Sentiamo il bollettino meteorologico: 'Oggi i venti porteranno la pioggia, ma in giornata le condizioni del tempo miglioreranno.'

Effettivamente, mentre il signor Puccini beve il suo caffè, comincia a piovere a catinelle. Che tempaccio!

Va a cercare il suo ombrello, poi prende un tassì per andare all'ufficio.

Oggi il signor Puccini è assai indaffarato, ha appena il tempo per leggere i grossi titoli del suo giornale, e non ha tempo per tornare a casa per far colazione. Quando finalmente torna a casa, è proprio sfinito. Dopo un pranzo sostanzioso e saporito, (la sua padrona di casa è un'ottima cuoca) – il signor Puccini va in salotto a fare un pisolino, poi guarda il suo programma televisivo preferito, dopo di che va a letto verso le undici.

– Buonanotte, signor Puccini, e buon riposo! – gli dice teneramente la signora Lanzi.

Il signor Puccini sale in camera sua con tanti sospiri. A dire il vero, le cure premurose della padrona di casa non lo rendono affatto contento; lei ha gran voglia di diventare la signora Puccini, e lui non ne vuole sapere di sposarsi!

Expressions

è molto ben curato	he's very well looked after
ha il sonno duro	he's a heavy sleeper
mi fa tanto male	aches so much
oggi, senz'altro	today, without fail
non è mica cosa gradevole	isn't at all pleasant
non manchi	don't fail
vuol piovere	it looks like rain
in giornata	in the course of the day
effettivamente . . . comincia a piovere a catinelle	sure enough, it begins to pour with rain
è assai indaffarato	he's very busy indeed
i grossi titoli	the headlines
è proprio sfinito	he's quite worn out
fare un pisolino	to have a nap
le cure premurose	the thoughtful attentions
non lo rendono affatto contento	don't make him the least bit happy
lui non ne vuole sapere di sposarsi	he won't hear of marrying

Questions

1. È magro il signor Puccini?
2. È sposato?
3. Ha il sonno leggero il signor Puccini?
4. Perchè non ha dormito bene la signora Lanzi?
5. A chi deve telefonare oggi la signora Lanzi?
6. Secondo la radio, pioverà tutta la giornata?
7. Ha molto lavoro da fare in ufficio il signor Puccini?
8. Sa cucinare la signora Lanzi?
9. Che cosa fa il signor Puccini prima di andare a letto?
10. Perchè sospira tanto salendo in camera sua?
11. A che ora va a letto Lei, di solito?
12. Lei lavora in un ufficio?

11 Una lettera

8, Shakespeare Square,
Bath,
Inghilterra.
il 5 luglio 1968

Cara Signora Crescenzi,

La ringrazio sentitamente della Sua gradita lettera, che mi è giunta due giorni fa.

Non vedo l'ora di rivedere l'Italia, e di visitare Firenze per la prima volta. Ne ho sentito parlare tanto spesso, ed ho letto tutti i libri su Firenze che ho potuto trovare nella biblioteca municipale.

È tanto gentile da parte Sua d'invitarmi a passare una quindicina di giorni a casa Sua, e spero che potrò contraccambiare la Sua ospitalità l'anno venturo.

Sono molto occupato in questi giorni all'ufficio, però, due volte alla settimana frequento delle classi serali d'italiano. Ho un'ottima professoressa, ma non riesco a parlare bene la lingua. Ho un accento atroce! Lei si accorgerà che è tutt'altro che puro! Certo, mi manca la pratica, ma sono sicuro che, dopo due settimane a Firenze, potrò parlare meglio.

Come va la famiglia? Bene, spero. Mia sorella sta per andare negli Stati Uniti per studiare – ha vinto una borsa di studio. Mio fratello Giorgio studia per gli esami di maturità al liceo.

Be', devo portare a termine questa lettera, nella quale, però, non ci dovrebbero essere degli errori, poichè la mia buona professoressa ci ha fatto tutte le correzioni necessarie, ieri sera!

Partirò dopodomani, mi fermerò a Parigi per tre giorni, e spero di arrivare a Firenze col treno delle 09.5 da Milano, che arriverà a Firenze alle 13.44 giovedì. La prego di non venire a prendermi alla stazione; prenderò un tassì.

Tanti saluti a tutti,
molto cordialmente
Antonio

Expressions

è tanto gentile da parte Sua	it's very kind of you
spero che potrò contraccambiare	I hope to be able to pay back, return

frequento delle classi serali	I go to evening classes
è tutt'altro che puro!	is anything but pure!
mi manca la pratica	I lack practice
mia sorella sta per andare	my sister is about to go
ha vinto una borsa di studio	she has won a scholarship (verb: *vincere*)
gli esami di maturità	roughly equivalent to G.C.E. 'A' Level
devo portare a termine	I must bring to a close
La prego di non venire a prendermi	Please don't come to meet me

Questions

1 Quando è giunta la lettera della signora Crescenzi?
2 Dove spera Antonio di passare due settimane?
3 Che cosa fa Antonio due volte alla settimana?
4 Chi gl'insegna l'italiano?
5 Antonio parla bene la lingua italiana?
6 Perchè non c'erano degli errori nella lettera di Antonio?
7 Qual'è la data della partenza di Antonio?
8 Quanti giorni passerà a Parigi?
9 Le piacerebbe un invito a passare due settimane a Firenze?
10 Lei è in corrispondenza con una persona italiana? Perchè è utile fare questo?

12 A Firenze

La bellezza di Firenze è proverbiale. La città si estende sulle due rive dell'Arno, ed è circondata da alte colline.

Il giorno dopo il suo arrivo a Firenze, la signora Crescenzi ha portato Antonio in giro per la città. Nel centro ha visto il magnifico duomo, con la famosa cupola di Brunelleschi, il campanile di Giotto, ed il battistero di faccia, dove fu battezzato Dante Aligheri – il poeta italiano più celebre di tutti i tempi.

Quanto traffico, e quanto rumore! Antonio ha visitato anche gli Uffizi – la galleria d'arte principale di Firenze, e anche parecchie chiese. Certe chiese e molti altri edifici portavano ancora le tracce del guasto causato dall'alluvione del novembre 1966, quando Firenze ha sofferto più di qualsíasi altra città italiana. Molti esperti si dedicano anche oggi al lavoro di restauro di centinaia di quadri a di manoscritti gravemente danneggiati dalle acque in quei giorni fatali.

Antonio è stato colpito dalla bellezza dei ponti sull'Arno, e la signora Crescenzi gli ha spiegato che tutti i ponti tranne il Ponte Vecchio vennero distrutti dai tedeschi durante l'ultima guerra. Tuttavia, sono stati rifatti completamente come erano prima.

Più tardi, Antonio e la signora sono saliti fino al Piazzale Michelangelo, da dove hanno goduto un panorama proprio magnifico della città.

Quasi ogni giorno della sua permanenza a Firenze ha fatto visite a luoghi interessanti; ma, come ha detto prima di partire per Londra, alla sua ospite: 'Ci vorrebbero parecchi mesi per vedere tutte le cose preziose di questa stupenda città!'

Expressions

ha portato Antonio in giro	she took Anthony round
più di qualsiasi altra città	more than any other city
in quei giorni fatali	in those fateful days
Antonio è stato colpito	Anthony was struck
vennero distrutti	were destroyed (*venire* is very often used in the passive in place of *essere*)
ci vorrebbero parecchi mesi	it would take several months

Questions

1 Firenze è situata su un fiume?
2 Chi fu l'architetto della cupola del duomo?

3 Dov'è il battistero del duomo?
4 Il centro di Firenze è tranquillo?
5 Quale disastro ebbe luogo a Firenze nel novembre del 1966?
6 Quale ponte non venne distrutto durante l'ultima guerra?
7 Da dove si gode un panorama magnifico di Firenze?
8 Bastano due settimane per vedere tutte le cose interessanti di Firenze?
9 Le interessano le gallerie d'arte?
10 Lei può dire qualcosa dell'alluvione avvenuta a Firenze nel 1966?

13 La Madonnina

La 'Madonnina' – così si chiama la famosa statua della Madonna che sta in cima alla guglia del duomo di Milano. Fu posta in opera nel 1755 su disegno di Giuseppe Perego, ed è alta oltre quattro metri, e coperta di fogli d'oro.

La Madonnina è, per i milanesi, une specie di angelo custode che porta buona fortuna alla città – un po' come i corvi della torre di Londra. È famosa come la Torre Pendente di Pisa, o la croce dorata in cima alla cupola di S. Paolo a Londra.

Però, nel 1967, nel mese di giugno, i periti stabilirono che la Madonnina era in 'grave stato di salute' grazie all'azione dello 'smog' di Milano. Inoltre, nel marzo del 1967, la mano che tiene il parafulmine fu colpita e danneggiata. La statua fu restaurata nel 1936. Durante la seconda guerra mondiale, fu bendata da una fascia impermeabile affinchè gli aerei alleati non la vedessero brillare nel cielo, et forse anche affinchè la Madonnina stessa non vedesse la sua cara città sottoposta a umiliazioni e sofferenze in questo periodo tragico della sua storia. Dunque, durante l'estate del 1967, la statua fu riparata, l'armatura interna fu ricostruita, e si ridiede alla Madonnina la sua bella patina d'oro. Ora, brilla di nuovo nel cielo di Milano, e, alla notte, alzando gli occhi alla guglia del duomo, i milanesi vedono la loro amata Madonnina e si sentono nuovamente rassicurati.

Expressions

che sta in cima alla guglia	which is at the top of the spire
Fu posta in opera	Work was started on it
affinchè gli aerei alleati non la vedessero[1]	so that the allied aircraft might not see her

Questions

1 Che cosa è la Madonnina per i milanesi?
2 Perchè è stato necessario riparare la statua?
3 È molto alta la Madonnina?
4 Perchè è stata bendata durante la seconda guerra mondiale?
5 È di nuovo in cima alla guglia la Madonnina?
6 Lei ha visto questa statua famosa?

Note

1 *affinchè . . . vedessero* subjunctive mood after the conjunction *affinchè.*

14 La macchina del mio amico Rossi, e la mia

Il mio amico, Carlo Rossi, andava molto orgoglioso della sua macchina preferita – (ne ha tre, generalmente) – tipo sportivo, nuova fiammante, e molto elegante. Il cófano era lungo, anzi lunghissimo, i sedili bassi, la carrozzeria fuori serie.

È superfluo dire che Rossi è ricco, e che è in grado, dunque, di cambiare le sue macchine quando vuole. Dice sempre, quando si acquista una nuova macchina:

– Ecco finalmente una macchina con un motore degno di me!

Sembrava, dunque, che avesse trovato finalmente la vettura ideale. Però, l'altro giorno, con mia gran sorpresa, l'ho visto spingere quella vettura, tipo sportivo, nuova fiammante, ecc., verso un'autorimessa vicina. Naturalmente, l'ho aiutato a spingerla.

– Un guasto al motore? – gli ho chiesto.

– Credi che io faccia questo per motivi di salute? – replicò stizzosamente, ansante.

Povero Carlo! Ora non parla più di quella bella macchina che ha venduto subito dopo quel guasto. Fra poco, senz'altro, ne comprerà un'altra, che chiamerà di nuovo 'la mia macchina ideale!'

La mia macchina (ne ho una sola) non è, naturalmente, una macchina di lusso. Tutt'altro! È una piccola macchina, vecchia di dieci anni. Ogni giorno vado in ufficio in macchina. Ieri ho fatto il pieno di benzina e di olio presso un distributore, e domani, siccome andiamo a passare la giornata al mare, dovrò anche verificare se le ruote sono gonfie abbastanza, e la batteria è carica. Speriamo anche che il motore sia tutto in ordine, poichè non mi piace affatto avere un guasto ed essere in panna durante il viaggio: (come il mio amico Rossi!)

Expressions

andava molto orgoglioso	was very proud
la carrozzeria fuori serie	the bodywork specially made (*i.e.*, not mass-produced)
è in grado, dunque, di cambiare	he's therefore in a position to change
che avesse trovato[1]	that he had found
per motivi di salute	for the good of my health
tutt'altro!	anything but!
ho fatto il pieno di	I filled up with
sia tutto in ordine[2]	is completely in order
essere in panna	to have a breakdown

Questions

1. Faccia la descrizione della macchina di Carlo Rossi.
2. Perchè Rossi è in grado di cambiare le sue macchine così spesso?
3. Perchè spingeva la vettura verso l'autorimessa?
4. Quando ha venduto quella bella macchina?
5. Com'è la mia macchina?
6. Possiedo parecchie macchine, come Rossi?
7. Che cosa ho fatto ieri?
8. Perchè domani dovrò verificare se le ruote sono abbastanza gonfie, ecc?
9. Lei ha una macchina?
10. Le piacciono macchine di tipo sportivo?

Notes

1. *che avesse trovato* subjunctive mood after *sembrava* (an impersonal expression).
2. *sia tutto in ordine* subjunctive mood after *speriamo* (a verb of hoping.

15 La politica italiana

Gl'italiani non possiedono molto talento per vivere insieme, poichè l'italiano medio è un individualista. Lui non è contento di essere un dente in un ingranaggio: vuol essere, invece – come qualcuno ha giustamente detto – la ruota! In generale, anche, gl'italiani amano troppo la retorica.

Bisogna ricordare che, come nazione, l'Italia ha soltanto novantotto anni di vita. Fino all'epoca delle guerre napoleoniche, e per molti anni dopo queste guerre, l'Italia fu sottoposta alla dominazione straniera, oppure divisa in principati o repubbliche. Per lo più, il tipo di governo in questi vari stati dell'Italia fu assoluto. Gl'italiani avevano poca possibilità di gustare la vera democrazia, e di ricevere istruzione nella politica parlamentare di tipo britannico o francese. Il Piemonte fu forse la sola eccezione, e fu il Piemonte che diede all'Italia unita un monarca, e il modello del governo parlamentare.

Al momento ci sono tanti partiti in Italia, che hanno la tendenza di suddividersi di continuo – specie il partito socialista, di cui esistono ora molte varietà. Abbiamo visto ultimamente la dimissione di ancora un altro governo italiano – ventinove governi nel dopoguerra!

Gl'italiani sono un popolo che ha portato un grandissimo e continuo contributo alla civiltà per più di 2,000 anni, e culturalmente, dunque, l'Italia è molto antica, più antica di quasi tutti gli altri paesi europei. Però, dal lato politico, l'Italia è giovanissima, e ci vorranno forse parecchi anni prima che raggiunga quella stabilità e maturità politica di cui ha bisogno.

Expressions

di essere un dente in un ingranaggio	with being a cog in a wheel
fu sottoposta	was subjected
per lo più	for the most part
di suddividersi di continuo	to split themselves up continually

ci vorranno	it will take (verb: *volerci*)
prima che raggiunga[1]	before she reaches (or 'achieves')

Questions

1 È contento di essere un dente in un ingranaggio l'italiano medio?
2 È vecchia come nazione l'Italia?
3 Perchè gl'italiani non avevano molta possibilità di gustare la democrazia?
4 Quale regione italiana diede un monarca al regno?
5 Quale tendenza hanno i partiti politici italiani?
6 Quanti governi c'erano stati nel dopoguerra fino all'autunno del 1968?
7 Qual'è stato il contributo italiano alla civiltà per più di 2,000 anni?
8 Di che cosa ha bisogno l'Italia?

Note

1 *raggiunga* subjunctive mood after *prima che.*

16 Il calcio

Il calcio è il gioco più popolare di tutta l'Italia, e affascina le masse. Alla domenica grandi folle di tifosi del calcio invadono i campi da gioco, e applaudiscono con tanto entusiasmo la squadra preferita. Parecchie squadre italiane trionfano nei tornei internazionali, e l'Italia può vantare alcuni giocatori magnifici.

Purtroppo, come in quasi tutti i paesi, oggigiorno il professionismo è entrato nello sport. I giocatori non giocano più soprattutto per la gioia della partita, ma piuttosto per la soddisfazione personale e l'applauso.

Nei programmi scolastici delle scuole italiane, gli sport non hanno una grande importanza, come nelle scuole inglesi; però, fuori scuola, anche i ragazzi più piccoli passano quasi tutto il tempo libero, specie nelle lunghe vacanze estive, a giocare al calcio. Per i ragazzi, non è mica un gioco stagionale! Siccome non esiste il *cricket* il calcio – (anche giocato senza troppo riguardo per le regole ortodosse!) – è uno sport che viene giocato tutto l'anno. Purtroppo i campi sportivi per i giovani scarseggiano in Italia, ma i ragazzi se la cavano bene in queste circostanze difficili, e giocano nei luoghi più inverosimili.

Expressions

tifosi del calcio	football fans
trionfano nei tornei internazionali	are the winners in international league contests
il professionismo è entrato nello sport	professionalism has come into sport

non è mica un gioco stagionale	it isn't in the least a seasonal game
purtroppo i campi sportivi . . .	unfortunately sports fields . . .
scarseggiano	are in short supply
se la cavano bene	make the most of it
nei luoghi più inverosimili	in the most unlikely places

Questions

1 Quando invadono i campi da gioco i tifosi?
2 I giocatori di oggidì giocano soprattutto per la goioia della partita?
3 Gli sport costituiscono un elemento importante del programma scolastico in Italia?
4 I campi sportivi abbondano in Italia?
5 Quando giocano a calcio i ragazzi italiani?
6 Gl'italiani sono esperti di cricket?

17 Una gita in campagna

Paolo ed Enrico erano vecchi amici di scuola, ed abitavano a Bologna. Tutt'e due studiavano all'università di quella città, ma in facoltà diverse.

Un giorno, poco dopo gli esami, s'incontrarono nel cortile dell'università.

– Ciao, Paolo! – gridò Enrico. – Peccato vedersi così di rado. In questi giorni, purtroppo, io non sono quasi mai libero. Però, sono libero oggi, e tu?

– Sì, meno male, sono libero anch'io, e dopo aver sgobbato per quei benedetti esami, mi sento proprio sfinito. Andiamo a fare una gita in campagna.

– Sei un asso! Come ti è venuta in mente un'idea così bella? – esclamò Enrico.

– Be', non so. Ma devo far presto, ora; ho un appuntamento col dentista per le undici. Incontriamoci alle tre. Va bene?

– Benissimo, – rispose Enrico. – Arrivederci.

Alle tre gli amici s'incontrarono di nuovo a casa di Enrico, e salirono tutt'e due nella sua macchina.

– Staremo un po' stretti, – disse Enrico, – ma non fa niente.

(Devo spiegare che Paolo ed Enrico erano entrambi grassocci, e che la macchina era molto piccola. Inoltre, la macchina non apparteneva ad Enrico, ma a suo padre.)

I due amici si divertirono molto. Andarono in una piscina all'aperto, dove incontrarono altri studenti e studentesse, e vi rimasero per parecchie ore. Verso le sette, si recarono in una trattoria nuova fiammante chiamata 'La Lanterna'. ma siccome era solo il secondo giorno di apertura, i clienti erano accorsi così numerosi che non c'erano tavole libere. Gli amici, dunque, decisero di abbandonare l'idea di pranzarvi, e invece risalirono in macchina ed andarono in una trattoria non molto lontano dalla 'Lanterna', dove c'erano parecchie tavole libere.

Mangiarono all'aperto un pasto squisito. Improvvisamente, Enrico guardò l'orologio, si alzò di scatto, ed esclamò:

– Cáspita! Ormai sono le undici e mezzo, e se non sono a casa per mezzanotte, il babbo non mi dà più la macchina. È un tipo assai severo in queste cose, e mi dirà senz'altro: Non sei stato ai patti!

Salirono in fretta in macchina, e andarono a tutto gas verso Bologna. Mancava un minuto a mezzanotte quando Enrico rincasò. Il babbo lo accolse piuttosto freddamente, ma rivolgendosi a Paolo, che stava nel vestibolo, disse:

– È molto tardi. Se vuoi, possiamo sistemarti un letto di fortuna.

– Grazie mille, signore, – rispose Paolo. – Accetto molto volentieri!

Tutto è bene ciò che finisce bene!

Expressions

così di rado	so seldom
dopo aver sgobbato	after having slaved
sei un asso!	you're brilliant!
devo far presto	I must get a move on
staremo . . . stretti	we'll be . . . squashed
vi rimasero	they stayed there (verb: *rimanere*)

i clienti erano accorsi così numerosi	such a lot of customers had come crowding in
Enrico . . . si alzò di scatto	Henry . . . sprang to his feet
Caspita!	Dash it!
mi dirà senz'altro: Non sei stato ai patti!	he's bound to say to me: 'You haven't kept your part of the bargain!'
andarono a tutto gas (*coll.*)	they 'scorched' along, they raced back
lo accolse	greeted him (verb: *accogliere*)
possiamo sistemarti un letto di fortuna	we can fix you up with a shake-down (or 'a makeshift bed')

Questions

1 Perchè Paolo ed Enrico non si vedevano spesso?
2 Perchè Paolo si sentiva proprio sfinito?
3 Com'erano i due amici?
4 Perchè 'la Lanterna' era così affollata?
5 Di chi era la macchina?
6 Perchè andarono verso Bologna a tutto gas?
7 Che cosa fece Paolo, probabilmente, dopo aver accettato l'invito di passare la notte in casa di Enrico?
8 Ci sono delle piscine nella Sua città, e nei dintorni?
9 Le piace nuotare? È appassionato anche di altri sport?

18 Guglielmo Marconi

Guglielmo Marconi è conosciuto in tutto il mondo. Fu uno dei più grandi scienziati che siano mai esistiti, e fu anche un gran benefattore dell'umanità.

Nacque a Bologna nel 1874, e già da giovane ebbe l'idea di comunicare a distanza mediante le onde elettromagnetiche. Eccolo dunque nella soffitta della villa familiare a Pontecchio, presso Bologna, circondato da fili di rame, e mucchi di pile, accumulatori, campanelli elettrici, eccetera. Era appassionato di esperimenti scientifici, specie quelli sull'elettricità.

Lavorò così di continuo, con perseveranza instancabile, per mesi, e anni, finchè, nella primavera del 1895, quando Marconi aveva soltanto ventun anni, il mondo apprese il prodigio fantastico, l'invenzione più stupenda, forse, del genio umano: il telegrafo senza fili! Dapprima, Marconi non fu preso veramente sul serio. Molti si domandavano come mai fosse possibile trasmettere segnali a distanza senza neppure un filo. Tuttavia, Marconi non si lasciò scoraggiare. Continuò nei suoi esperimenti e, nel 1901, pervenne a trasmettere segnali attraverso l'Atlantico, dalla Cornovaglia a S. Giovanni di Terranova[1]. Ecco la prova decisiva della sua scoperta! Aveva appena ventisette anni.

Più tardi, nel 1933, Marconi inaugurò fra la Città del Vaticano e Castelgandolfo, (la residenza estiva dei Papi) il primo servizio radio a microonde. I risultati dei suoi esperimenti tenaci, attraverso gli anni, si commentano da soli, e gli fruttarono alti onori da ogni parte del mondo. Il numero delle vite umane salvate dalla morte, grazie alle scoperte di Guglielmo Marconi, non si contano più.

Morì nel 1937, ma il nome di Marconi verrà sempre ricordato per le sue importanti scoperte.

Expressions

che siano mai esistiti	who have ever lived[2]
già da giovane	as a youth
mediante le onde elettromagnetiche	by means of electro-magnetic waves
era appassionato di esperimenti scientifici	he was tremendously keen on scientific experiments
non fu preso . . . sul serio	he was not taken seriously
come mai fosse[3] possibile	how on earth could it be possible
non si lasciò scoraggiare	he did not let himself get discouraged
pervenne a trasmettere segnali	he achieved the transmission of signals
servizio radio a microonde	short-wave radio service

si commentano da soli	speak for themselves
gli fruttarono	gained him
verrà[4] *ricordato*	will be remembered

Questions

1 Quanti anni fa nacque Guglielmo Marconi?
2 Perchè l'invenzione del 1895 può chiamarsi un 'prodigio fantastico'?
3 Dove precisamente si trova la Cornovaglia?
4 E la Terranova?
5 Perchè Marconi ricevette onori da ogni parte del mondo?
6 In che modo l'invenzione di Marconi ha salvato delle vite innumerevoli?

Notes

1 *La Cornovaglia* = Cornwall – one of the very few English geographical names which has an Italian equivalent. *S. Giovanni di Terranova* is St. John's Newfoundland.
2 *siano* in the present subjunctive mood (3rd person pl. of *essere*) after a superlative expression (*più grandi*).
3 *fosse* imperfect subjunctive of the verb *essere*, here necessary after the verb *domandarsi* 'to wonder'. At this stage, although few students will have actually reached the chapters in their particular course book on the subjunctive mood, it is useful to be able to recognise it when reading Italian.
4 *verrà* (future tense of *venire*). Here, as so often, the verb *venire* is used in a passive construction with the meaning 'to be'.

19 Un'università per stranieri

In Italia c'è un'università i cui studenti sono tutti stranieri, e si dedicano allo studio della lingua e della letteratura e cultura italiana. È la ormai celebre Università per Stranieri a Perugia, capoluogo dell'Umbria. I corsi furono iniziati nel 1921, e il titolo 'Università per Stranieri' venne dato nel 1925. Fu la prima istituzione in Italia destinata agli stranieri.

Facciamoci una visita. Dal centro della vecchia città, che risale all'epoca degli etruschi, scendiamo per vicoli ripidissimi, e finalmente, sotto all'antico arco etrusco, vediamo l'università in piazza Fortebraccio – già il Palazzo Gallenga-Stuart. Sebbene il palazzo sia stato ingrandito durante questo secolo, non è affatto ovvio, perchè lo stile armonizza perfettamente con quello precedente. L'interno è spazioso e molto bello.

Migliaia di studenti da ogni parte del mondo vengono ogni anno a Perugia a frequentare i corsi di questa università. I corsi principali sono il corso preparatorio, il corso medio, e il corso superiore. Inoltre ci sono corsi speciali di arte, di etruscologia, di storia, di pedagogia, ecc. Si organizzano gite e visite culturali, e gli studenti godono di une vita sociale assai interessante. Alla fine dei corsi, ci sono esami, e molti studenti ricevono diplomi. Naturalmente, certi studenti vengono bocciati – generalmente perchè hanno studiato troppo poco durante la loro permanenza a Perugia. Certo, ci sono molte belle cose in quella città che possano distogliere gli studenti dagli studi, e l'Umbria in generale è una regione incantevole. Poi, situata com'è nel bel centro della penisola, Perugia è un luogo ideale per escursioni a Firenze, a Roma, e alle riviere adriatica e di levante.

Ogni anno vengono a Perugia circa 3,500 giovani da più di 90 nazioni. Una volta la maggioranza degli studenti proveniva dagli Stati Uniti, dalla Francia, dalla Germania, dalla Svizzera, e dall'Inghilterra. Ora, però, c'è anche un rilevante numero di studenti afroasiátici.

L'aumento ogni anno del numero degli studenti sta a dimostrare l'importanza di questa università, questa 'ONU dei Giovani', come è stata giustamente chiamata, che assolve anche una funzione di pace consentendo a studenti di tante nazionalità d'incontrarsi, e capirsi a vicenda. Io non vedo l'ora di tornarvi, – può diventare una specie di abitudine, – e, sebbene la maggior parte degli studenti sia giovane, anzi, giovanissima (parecchi sono ancora alunni liceali), molte persone di età più avanzata frequentano questi corsi. Alcuni, infatti, hanno più di settant'anni! Così, frequentando l'Università per Stranieri di Perugia, non si è sempre consapevoli di aver raggiunto una certa età.

Expressions

sebbene il palazzo sia stato[1] *ingrandito*	although the palace has been added to
assai interessante	pitfall! See note to No. 8
vengono[2] *bocciati*	are failed, are 'ploughed'
nel bel centro	right in the middle
e di levante	that is, the coast from Genoa southwards to La Spezia
sta a dimostrare	goes to show
ONU	U.N.O.[3]
consentendo a studenti	allowing students (verb: *consentire*)
capirsi a vicenda	understand one another (*a vicenda*. 'mutually')
io non vedo l'ora di tornarvi	I'm looking forward to going back to it
alunni liceali	Grammar (High) School pupils[4]
una certa età	middle age

Questions

1. Quando fu inaugurato l'Università per Stranieri di Perugia?
2. Dov'è Perugia?
3. Com'è lo stile della parte più moderna del Palazzo Gallenga-Stuart?
4. Da dove vengono gli studenti di questa università?
5. Quali sono i corsi principali?
6. Gli studenti passano tutto il tempo a studiare?
7. Perchè è un luogo ideale Perugia per escursioni?

8 Il numero degli studenti diminuisce?
9 Perchè è stata chiamata 'l'ONU dei giovani' l'Università per Stranieri?
10 Sono giovani tutti quanti gli studenti?
11 Che cosa pensa di questi corsi estivi all'estero?
12 Parli un po' della regione dell'Umbria.

Notes

1 *sia stato* subjunctive mood after *sebbene*, a concessive conjunction.
2 *vengono* note again this *very* common use of *venire*, – replacing *essere* in the passive voice.
3 *U.N.O.* United Nations Organisation
4 *alunni liceali* Always, at Perugia, in their final or penultimate year.

20 Guiseppe Mazzini a Londra

Ai primi del secolo scorso un movimento patriottico cominciò a diffondersi per tutta l'Italia: il Risorgimento. Uno degli uomini più importanti di questo movimento fu Giuseppe Mazzini. Purtroppo fu costretto a fuggire dalla patria, e il 12 gennaio, 1837 (l'anno in cui la regina Vittoria salì sul trono) Mazzini arrivò a Londra, dove finalmente poteva respirare dopo tante avventure. Ma non vedeva più le Alpi, ed era tanto nostalgico, lontano dalla patria; Londra era completamente diversa dalle città italiane, e Mazzini aveva gran voglia di rivedere il cielo italiano. Più volte lo si sentiva dire:

– Non vedo l'ora di rivedere la cara patria!

Ma aveva anche un'altra preoccupazione, molto grave, – la mancanza di soldi. La sua vita era semplice e molto frugale; ma lui era generoso, quanto mai generoso, e molti italiani sfruttavano la sua generosità. Mazzini e i suoi amici tentarono rimediare alla mancanza di denaro; per esempio, vendevano olio e vino provenienti dall'Italia, ma purtroppo non avevano un fiuto per gli affari, e persero molto soldi.

Però, la sua vita a Londra ebbe anche lati positivi. Conobbe parecchie famiglie inglesi, come quella dello scrittore Thomas Carlyle. Dal 1841 fino al 1848, Mazzini diresse una scuola per molti poveri ragazzi italiani residenti a Londra, per esempio: – spazzacamini, venditori ambulanti, e simili. Ma l'impresa più importante di Mazzini a Londra fu quella del movimento – 'La Giovine Italia'.[1]

Expressions

ai primi del secolo scorso	at the beginning of last century
cominciò a diffondersi	began to spread
fu costretto a fuggire	he was obliged to flee
aveva gran voglia di	badly wanted to
non vedo l'ora di rivedere	I am looking forward to seeing again
la mancanza di soldi	shortage of cash
quanto mai generoso	extremely generous
provenienti dall'Italia	from Italy
non avevano un fiuto per gli affari	they had no head for business, (flair)
persero molti soldi	they lost a good deal of money (verb: *perdere* 'to lose')
conobbe	he got to know (verb: *conoscere*, 'to know' (a person or place))
diresse	directed (verb: *dirigere* 'to direct', etc.)

Questions

1 Quando cominciò a diffondersi per tutta l'Italia il movimento del Risorgimento?
2 Quale episodio storico ebbe luogo nell'anno in cui Mazzini arrivò a Londra.
3 Perchè il Mazzini voleva tanto tornare in patria?

[1] *La Giovine Italia* founded at Marseilles in 1831.

4 Quale qualità del Mazzini sfruttavano molti italiani a Londra?
5 Fu bravo negli affari il Mazzini?
6 Che cosa vendevano il Mazzini ed i suoi amici?
7 Aveva degli amici inglesi il Mazzini?
8 Che tipo di ragazzi italiani frequentavano la scuola del Mazzini?

21 Una barzelletta

(*Adapted from 'Costellazione' magazine, December 1950*)

Un giovane soldato, molto bravo, molto intelligente, molto ben considerato, aveva un sol difetto: beveva.

Venne destinato a un plotone comandato da un sottotenente che curava molto l'istruzione dei propri uomini e li trattava con intelligenza e bontà.

Quest'ufficiale mandò a chiamare il soldato un giorno, e gli disse:

– Avrei potuto punirti già da tempo, ma non ho voluto farlo. Ieri sei tornato dalla città in caserma ubriaco fradício. Esaminiamo un po' la cosa: se continui così, rischi di cacciarti nei pasticci. Sarei costretto a farti comparire davanti alla corte marziale. Invece, se smetti di bere, sarai in grado di ottenere i galloni di caporale e in seguito andare alla scuola sottufficiali. Avrai la tua cameretta, una buona paga, dei permessi per uscire in città. Potrai diventare sergente, sergente maggiore, maresciallo, forse . . .

– Sì, sì, capisco perfettamente, – disse il soldato, proprio commosso per la bontà eccezionale del sottotenente. – Se cesso di bere diventerò caporale, poi sergente, sergente maggiore, perfino maresciallo un giorno. Soltanto, vedete signor tenente, quando sono ubriaco, io sono colonnello!

Expressions

mandò a chiamare	sent for
già da tempo	long ago
ubriaco fradicio	dead drunk
di cacciarti nei pasticci	of getting into trouble
sarai in grado di	you'll be in a position to

Questions

1 Aveva un difetto il giovane soldato?
2 Che tipo di ufficiale era il sottotenente?
3 Era sobrio il soldato quando tornò in caserma?
4 Prima di diventare sergente, ecc., dove sarebbe dovuto andare il soldato?
5 Perchè preferiva continuare a bere?
6 Il problema dell'ubriachezza è molto grave in Italia?

22 Il signor Puccini è ammalato

Una mattina il signor Puccini si svegliò alle ore piccole con le pene dell'inferno. Non poteva dormire, e cominciò a pensare alle più strane malattie. Più ci pensava più diventava disperato. Come bramava l'alba! Finalmente si fece l'alba, e chiamò la sua padrona di casa, la premurosa signora Lanzi.

– Povero signor Puccini! – lei esclamò con orrore. – Telefonerò al medico subito.

– Non lo faccia, la prego! – scongiurò il signor Puccini. – Mi farà bene stare a letto.

Aveva una paura mortale dei medici e degli ospedali.

– Va bene – rispose la signora Lanzi.

Se ne andò e chiuse la porta, ma appena fu arrivata giù, telefonò al dottore, pregandolo di venire subito.

Dopo poco tempo, con il grande orrore del povero signor Puccini, si aprì la porta della sua camera, ed ecco che il dottore entrò!

– La signora Lanzi ha detto che dovevo venire, a tutti i costi, e così eccomi qui, – disse.

La signora Lanzi, che seguiva il medico come un'ombra, si fece mille scuse al povero malato, dicendogli che non poteva sopportare di vederlo in tali sofferenze. Il medico, dopo una breve visita, ordinò il ricovero in ospedale di Puccini, per un immediato intervento chirurgico. Poveretto! Questo fu per lui quasi la fine del mondo. Entro una mezz'ora l'autoambulanza lo portò all'ospedale, e subì l'operazione per appendicite acuta. Dopo, il dottore gli disse:

– Se la signora Lanzi non mi avesse telefonato quando lo fece, ora sarebbe bell'e morto.

Il signor Puccini si ristabilì presto, visitato ogni giorno dalla signora Lanzi che lo sommergeva di fiori e frutta. A dire il vero, Puccini fu così grato che lei avesse telefonato contro il suo volere che un giorno, proprio là nella corsia dell'ospedale, le fece una proposta di matrimonio. È superfluo dire che la signora Lanzi accettò senza un momento di esitazione e con gratitudine sconfinata.

Ora, dunque, lei è diventata la signora Puccini, e l'ultima

volta che li vidi, lei e Puccini, mano nella mano, sembravano la coppia più felice del mondo.

Expressions

alle ore piccole	in the small hours
ecco che il dottore entrò!	in came the doctor!
si fece mille scuse	apologised profusely
ordinò il ricovero[1] *in ospedale di Puccini*	ordered Puccini to hospital
ora sarebbe bell'e morto	you'd have been a dead man by now
lo sommergeva di fiori e frutta	lavished flowers and fruit on him
mano nella mano	hand in hand

Questions

1 Perchè non poteva dormire il signor Puccini?
2 Perchè pregò la sua padrona di casa di non telefonare al dottore?

3 Perchè la padrona di casa telefonò al dottore?
4 Di che cosa soffriva Puccini?
5 Che cosa gli portava ogni giorno la signora Lanzi?
6 Perchè Puccini fece una proposta di matrimonio alla signora Lanzi?
7 Lei ha mai dovuto subire un intervento chirurgico?
8 Descriva brevemente il suo ideale di padrona di casa.

Note

1 *ricovero* does *not* mean 'recovery'.

23 Una visita a Venezia

Venezia è, senz'alcun dubbio, una delle più belle città del mondo, ed è, secondo me, una delle poche città che non deludono l'aspettativa.

Quello che colpisce di più è il silenzio, – la santa pace che regna dappertutto. Nella vicinanza del Canal Grande, si capisce, c'è il rumore dei motori dei vaporetti, ma questo è poco in confronto ai rumori assordanti delle altre città italiane.

Una delle viste più indimenticábili è quella della città dal Lido di Venezia, quando ci s'imbarca per andare a San Zaccaria, che si trova vicino alla Piazzetta[1] e al Palazzo Ducale. Nell'aria mattutina, un po' nebbiosa, la Regina dell'Adriatica ha un po' l'aspetto d'una città favolosa che sorge dal mare, quasi fosse un'illusione ottica troppo romantica e bella per essere vera. Per me, la sola cosa che guasta questo panorama, specie man mano che ci si avvicina a San Zaccaria, è quell'ala moderna dell'albergo Danieli, proprio accanto alle prigioni del Palazzo Ducale. È in uno stile che non è affatto in armonia con tutti gli altri palazzi sulla Riva degli Schiavoni, e ogni volta che vedo quell'edifizio, mi viene gran voglia di demolirlo, e di ricostruirlo nello stesso stile della parte più antica dell'albergo.

Molti scrittori hanno cercato di descrivere la bellezza stupenda della Piazza di S. Marco, con la facciata della Basilica, il bel campanile, tutto di mattoni, tranne la guglia, la Torre dell' Orologio con i famosi mori, i bei palazzi eleganti che riempiono tre lati della piazza – le Procuratie Vecchie, le Procuratie Nuove, e quell'ala dalla parte opposta della basilica che fu costruita da Napoleone, a che contiene il museo Correr. Mi piace tanto sostare sotto i portici di quest'ala napoleonica, e guardare la facciata delle basilica e quelle tre aste di bandiera che risalgono al cinquecento.

Talvolta ci si vuole allontanare dai turisti, e dai posti più noti della città. Allora è sempre un'esperienza deliziosa vagabondare per Venezia. Ogni campo (o campiello) – così si chiamano le piccole piazze di Venezia – ha una vita propria, e sembra quasi un piccolo villaggio separato dal resto della città. È dominato di solito da una vecchia chiesa, dedicata a un santo il cui nome pare talvolta sconosciuto, perchè è scritto in dialetto veneziano.

Un'altra cosa che mi piace tanto è di prendere un vaporetto che va lungo la Giudecca, dove si può vedere un po' la vita maríttima di Venezia. E le isole! Ognuna ha un incanto proprio! Torcello, col suo silenzio e il suo bel duomo, ed i suoi ricordi di glorie svanite; San Lazzaro, così vicino al Lido, con la sua pace monastica e i suoi giardini tranquilli, e i ricordi di Byron. Murano, che non è una bell'isola, ma possiede un certo incanto, – quello della decadenza di una gloria e di uno spendore del passato. Burano, isola molto pittoresca, dedita alla pesca e ai merletti.

Certo, una visita a Venezia e alla sua laguna è un'esperienza indimenticabile.

Expressions

non deludono l'aspettativa	come up to expectations
la santa pace	the peace and quiet
in confronto ai rumori assordanti	compared with the deafening noises
quando ci s'imbarca[2]	when you get on the boat
quasi fosse un'illusione ottica	as if it were an optical illusion
specie man mano che ci si avvicina	especially as one approaches

mi viene gran voglia	I have a strong desire
dalla parte opposta della basilica	on the side opposite to the basilica
che risalgono al cinquecento	which date back to the 16th Century
ha una vita propria	has its own particular life
il cui nome pare talvolta sconosciuto	whose name seems strange (lit. unknown)

Questions

1. Che cosa colpisce di più a Venezia?
2. Da dove si gode una veduta indimenticabile della città?
3. Quale edificio guasta questa bella veduta?
4. Che cosa vorrebbe fare lo scrittore ogni volta che vede quest'edificio?
5. Che cosa vede lo scrittore dall'ala napoleonica?
6. Perchè l'ala napoleonica si chiama così?
7. Perchè i campi a Venezia sembrano piccoli villaggi?
8. Che cosa si può vedere lungo la Giudecca?
9. Dov'è l'isola di S. Lazzaro?
10. Perchè piace allo scrittore quest'isola?
11. Quali sono le 'industrie' di Burano?
12. Le piace Venezia?

Notes

1. *La Piazzatta* The smaller square which leads from the Grand Canal (the Molo) to St. Marks. On one side of it is the Doges' Palace, on the other the Old Library of Sansovino.
2. *imbarcarsi* reflexive, so the 3rd person 'embarks' is *s'imbarca*, so 'one embarks' would be *si s'imbarca* which sounds dreadful. In all such cases therefore the first *si* becomes *ci* (*ci si alza*, one gets up).

24 Un turista inglese è derubato

Ecco un'esperienza poco piacevole che mi capitò venti anni fa a Milano, nell'autunno del 1947. Fu la mia prima visita in Italia, e passavo a Milano alcuni giorni con una famiglia italiana. Arrivai alla stazione centrale di Milano un bellissimo pomeriggio, – faceva un caldo eccezionale, – verso la fine di settembre. Tutti i membri della famiglia erano lì, alla stazione, ad accogliermi con gran calore, come se fossi stato il figlio prodigo tornato dopo tanti anni. Effettivamente, fino a quel momento conoscevo quella cara famiglia soltanto per corrispondenza!

Il secondo giorno della mia visita andai all'agenzia CIT a comprare il biglietto ferroviario per Roma e riservare un posto sul rapido delle 9.30 del giorno seguente. Mentre parlavo coll'impiegato, avevo messo il portafoglio sul banco accanto a me. Poi, mentre l'impiegato stava preparando il biglietto e la prenotazione, andai a guardare una carta geografica immensa dell'Italia, dimenticando che avevo lasciato il portafoglio sul banco . . . Tornai al banco dopo un momento, ma, con mio grande orrore, il portafoglio non c'era più. Conteneva circa cinquantamila lire, il mio biglietto di ritorno per Londra, la prenotazione del mio albergo a Parigi per la settimana seguente, ed anche certe cose di valore sentimentale. Può immaginare il mio stato d'animo; fui quasi fuor di me. L'impiegato mi consigliò di fare una dichiarazione alla questura, e informai anche il console britannico di quanto era accaduto; e per il resto di quella giornata non cessai di rimproverarmi della mia distrazione imperdonabile.

Fortunatamente, avevo lasciato a casa i miei assegni viaggiatori, e potevo dunque incassare un po' di denaro. Andai a Roma il giorno seguente, vi passai tre giorni meravigliosi, poi tornai a Milano, dove mi presentai al consolato britannico di nuovo. Con mia gran sorpresa, il console mi porse il portafoglio perduto, dicendomi che tutto era intatto, – tranne quelle banconote! Il borsaiuolo aveva estratto il denaro, e poi aveva impostato il portafoglio in una buca delle lettere, e l'ufficio postale di Milano l'aveva poi consegnato al consolato britannico. Senza dubbio, un borsaiuolo con un po' di coscienza!

Certo, quella fu per me una vera lezione, e d'allora in poi porto con me poco denaro, e il portafoglio – lo tengo sempre in tasca!

Expressions

poco piacevole	not very nice
con[1] *mio grande orrore*	to my great horror
come se fossi stato[2] *il figlio prodigo*	as if I had been the Prodigal Son
quasi fuor di me	nearly beside myself
recarmi[3] *al consolato britannico*	to go to the British Consulate
di quanto era accaduto	of what had taken place
mi porse	handed me (verb: *porgere*, pp. *porso*)
d'allora in poi	from that time forth

Questions

1 Quando fece la sua prima visita in Italia il turista inglese?
2 Chi l'accolse alla stazione, e in che modo?

3 Come conobbe quella famiglia italiana?
4 Quando andò all'agenzia CIT?
5 Che cosa conteneva il portafoglio del turista?
6 Dove l'aveva lasciato? Perchè?
7 A che ora doveva partire il treno per Roma?
8 Perchè andò alla questura?
9 Quanti giorni passò a Roma?
10 Che cosa gli porse, al suo ritorno, il console britannico?
11 Perchè il turista pensava che il borsaiuolo avesse un po' di coscienza?
12 Lei è mai stato derubato?
13 In che modo possiamo proteggerci dai borsaiuoli?

Notes

1 *con mio grand'orrore* in expressions of emotion of this sort, the Italian *con* always translates the English 'to'.
2 *come se fossi stato* subjunctive mood in a hypothetical clause introduced by *come se*.
3 *recarsi a* the same as the French *se rendre à*.

25 Danilo Dolci

Danilo Dolci è un riformatore sociale italiano conosciuto in tutto il mondo. È nato vicino a Trieste nel 1924, e frequentò le università di Roma e di Milano. Possiede una laurea in architettura. Fu nel 1952 che decise per primo di dedicarsi al miglioramento delle condizioni sociali dei poveri di Sicilia; a quel tempo aveva soltanto ventotto anni.

Lavorava come pescatore e contadino per conoscere la gente della località di Trappeto, poco più di trenta chilometri da Palermo, nella Sicilia occidentale. Qui, nel medesimo anno, iniziò il primo degli 'sciόperi della fame', questa volta a causa della morte per la fame di un bambino.

Nel 1955 si trasferì nella cittadina di Partinico – che è attualmente[1] il suo centro di operazioni – e qui fondò un'organizzazione chiamata 'Centro Studi e iniziative per la piena occupazione', e impiega oggi quasi sessanta persone (uomini e donne) in cinque cittadine della Sicilia occidentale. La maggior parte dei suoi collaboratori sono o Siciliani o Italiani – ci sono effettivamente pochi stranieri, – al momento ce ne sono sei. In ogni centro c'è un agronomo che ha persuaso i contadini a cambiare i metodi antiquati di cultura. Come conseguenza, i raccolti sono notevolmente aumentati.

Più della metà di questi collaboratori di Dolci si dédicano all'insegnamento. L'analfabetismo è un problema molto grave in Sicilia, anche oggi; il sistema della pubblica istruzione statale è veramente deplorévole – antiquato, e del tutto inadeguato. Molti ragazzi in questa zona terminano la scuola a undici anni, e ciò è contro la legge.

Danilo Dolci è tutt'altro che popolare presso la Chiesa siciliana, e presso la Mafia; anzi, è stato arrestato e imprigionato più di una volta. Dei Siciliani e degli Italiani lo accusano di collaborazione con i comunisti, e di essere un esibizionista. Sia che queste accuse siano vere o no, Dolci ha fatto molto per la gente povera e dimenticata della Sicilia. Coloro che lo conoscono meglio affermano che egli non è nè un collaboratore con i comunisti nè un esibizionista, e che anzi è una persona umile, sensibile e completamente dédita alla causa dei poveri. Per meglio identificarsi con la sua gente, ha sposato una vedova siciliana, già madre di cinque figli, e da questo matrimonio sono nati altri cinque figli. Vincenzina (così si chiama) è un vero sostegno per il marito nelle sue varie attività.

Dolci ha pubblicato i risultati delle sue indágini in parecchi libri, tra cui forse i più celebri sono 'Spreco' e 'Inchiesta a Palermo', tradotti in molte lingue.[2] Nei suoi libri Dolci ha descritto in modo tanto realistico le condizioni terribili di una gran parte della popolazione siciliana. Danilo Dolci, grande riformatore sociale, adotta il metodo della non-violenza, asserendo che la violenza è del tutto sbagliata. Pertanto è stato chiamato il 'Ghandi italiano'. È anche un pacifista ad oltranza. Ha viaggiato molto in questi ultimi anni per propagare le sue idee. È certo che, se egli non gode molta fama in Italia, ne gode moltissima fuori l'Italia, e riceve dall'estero molto aiuto. Per esempio, il 'Danilo Dolci Trust' in Inghilterra stanzia delle somme sostanziose per l'opera di Dolci in Sicilia. In definitiva, Danilo Dolci, profeta in gran misura senza onore nel proprio paese, è celebre in tutto il mondo.

Expressions

decise per primo	he first decided
sono notevolmente aumentati	have appreciably increased
della pubblica istruzione statale	of State education
è tutt'altro che popolare	is anything but popular
sia che queste accuse siano vere o no	whether these charges are true or not
di qualsiasi genere	of whatever sort
stanzia una somma sostanziosa	contributes a substantial amount of money

Questions

1 Quali università frequentò Dolci, e quale titolo[3] possiede?
2 Quale decisione fece nel 1952.
3 Perchè fece il primo 'sciopero della fame'?
4 In che modo conobbe la gente di Trappeto?
5 Ci sono molti stranieri fra i collaboratori di Dolci?
6 Perchè la maggior parte dei suoi collaboratori si óccupa dell'insegnamento?
7 Danilo Dolci è molto popolare nella Sicilia?
8 Perchè lo si chiama talvolta il 'Ghandi' italiano? (Chi era Ghandi?)
9 Che tipo di libri ha scritto?
10 Danilo Dolci è conosciuto anche in Inghilterra?
11 Quali sono i problemi principali della Sicilia?
12 Che cosa è la Mafia?

Notes

1 *attualmente* NOT 'actually'.
2 His most readable work is his collection 'Racconti siciliani' (Einaudi). These are short and essentially interesting stories, eminently suitable for background study.
3 *titolo* 'qualification'.

26 Tre grandi artisti

Fra i tanti artisti che fiorirono nel cinquecento, tre sono più celebri degli altri: Leonardo da Vinci, Raffaello Sanzio e Michelangelo Buonarotti.

Nato nel villaggio di Vinci, non lontano da Firenze, nel 1452, Leonardo passò la giovinezza a Firenze nella bottega di un famoso pittore e scultore del periodo – Andrea del Verrocchio. In poco tempo Leonardo si appassionò tanto al disegno e alla pittura da superare il suo stesso maestro. I suoi quadri più conosciuti e più popolari sono: la 'Gioconda' (o 'Monna Lisa del Giocondo') – il ritratto della signora dal sorriso misterioso che si trova nel Louvre di Parigi, la 'Vergine delle Rocce', e 'L'Annunciazione'.[1] Forse il capolavoro più conosciuto dai turisti di ogni parte del mondo è 'Il Cenácolo'[2] (o 'L'Ultima Cena'), che è un affresco immenso nel refettorio di Santa Maria delle Grazie a Milano. Come pittore, Leonardo non ci ha lasciato un'opera artistica molto vasta, ma è di un'intensità poetica proprio eccezionale. Il suo stile è basato per lo più sul chiaroscuro e sullo sfumato. Oltre che essere pittore, Leonardo fu grande anche come architetto, ingegnere, scultore, e soprattutto come scienziato.

Raffaello Sanzio nacque a Urbino[3] nel 1483, e morì assai giovane all'età di trentasette anni. Però, in questa vita così breve, Raffaello diede non solo prove stupende della sua arte come pittore, ma fu anche architetto per la basilica di San Pietro a Roma, e disegnò alcuni dei più bei palazzi di quella città. Studiò nella bottega di Piero Perugino a Perugia, e seppe così bene impadronirsi dell'arte del suo maestro, che in breve tempo diventò famoso anche lui. Fu chiamato a Roma da Giulio II, che lo incaricò di eseguire gli affreschi nelle sale del suo appartamento.

Le Madonne dipinte da Raffaello sono diventate popolari in tutti i paesi del mondo. Sarebbe difficile scegliere esempi tra la sua produzione di quadri così vasta. Forse 'La Fornarina', 'La Trasfigurazione', e 'La Madonna del cardellino'[4] sono tre dei più grandi e più popolari. La tomba di Raffaello è nel Panteon a Roma.[5]

L'ultimo di questa triade, Michelangelo Buonarotti, nacque a Caprese, presso Firenze, e morì a Roma, molto vecchio, all'età avanzata di ottantanove anni. Fu architetto molto celebre, sommo pittore, ma soprattutto scultore. Inoltre, fu anche poeta; scrisse tanti sonnetti che si leggono anche oggi. Insomma, Michelangelo fu uno dei massimi ingegni del Rinascimento italiano.

Da giovinetto, visse presso Lorenzo il Magnifico a Firenze[6], che lo amò come se fosse un suo figlio, e provvide alla sua educazione. Passò la maggior parte della vita a Roma, dove, per incarico di vari Papi eseguì commissioni di grande importanza, fra cui la più nota fu quella di affrescare la volta della cappella Sistina del Vaticano. Delle sue statue – delle quali tante rimasero incompiute – forse le più celebri sono: il David, la Pietà (quella in San Pietro), e il Mosè.[7]

Spirito tormentato, complesso, ed irrequieto, espresse nella sua arte come nessun altro – e specie negli ultimi anni – la malinconia ed il disinganno con cui fu avvolto il mondo contemporaneo. Nella volta della cappella Sistina ha creato un'espressione davvero magnifica dell'umanesimo del Rinascimento[8], e nelle sue sculture ha incarnato la bellezza fisica in un modo che ci ricorda le più belle statue dei greci antichi.

Non fa meraviglia che lo si chiamasse 'il divino Michelangelo'!

Expressions

nel cinquecento	in the sixteenth century
da superare il suo stesso maestro	as to excel his master himself
sullo sfumato	on shading

. . . seppe . . . impadronirsi dell'arte	he was able to grasp and make his own the art . . . etc. (verb: *sapere*)
dipinte	painted (verb: *dipingere*)
nacque	was born (verb: *nascere*)
da giovinetto visse presso . . .	as a lad he lived with . . .
come se fosse[9]	as if he were
provvide alla sua educazione	made provision for his upbringing (verb: *provvedere*)
tante rimasero incompiute	many remained incomplete (verb: *rimanere*)
espresse	he expressed (verb: *esprimere*)
con cui fu avvolto il mondo contemporaneo	which enveloped the world of his day (verb: *avvolgere*)
non fa meraviglia che[10] *. . .*	no wonder that . . .

Questions

1 Leonardo da Vinci fu soltanto pittore?
2 Dove si trova 'La Gioconda'?
3 Quanti anni aveva Raffaello Sanzio quando morì?
4 Cosa è il Panteon?
5 Dove abitò Michelangelo durante la sua giovinezza?
6 Dove sono i più famosi affreschi di Michelangelo?
7 Michelangelo fu un uomo contento e tranquillo?
8 Quale di questi tre preferisce Lei? Perchè?
9 Sa parlare di qualche altro artista italiano?

Notes

1 *La Vergine delle Rocce* the 'Virgin of the Rocks', is also in the Louvre, Paris, and the 'Annunciation' is in the Uffizi Gallery, Florence.
2 *Il Cenacolo* the 'Last Supper', which miraculously escaped serious harm when the refectory was virtually destroyed by bombs during the Second World War. It has been several times restored.

3 *Urbino* in the Marches, about halfway between Ravenna and Perugia.
4 *La Fornarina* (The Baker's daughter) probably Raphael's mistress, in the Borghese Gallery, Rome.
5 *La Trasfigurazione* (the Transfiguration) in the Vatican Gallery.
La Madonna del cardellino (The Madonna of the goldfinch) in the Uffizi, Florence.
(For an excellent essay on Raphael, see Chapter VI of Cecil Roberts' *And so to Rome* (Hodder & Stoughton)).
Il Panteon (the Pantheon) the only building of classical Roman times which is still in regular use. In some ways, it is the 'Westminster Abbey' of Rome.
6 *Lorenzo il Magnifico* (Lorenzo the Magnificent) the most celebrated of the Medici family, who ruled Florence as hereditary dukes. In addition to being the greatest patron of the arts ever produced by Italy, he was also a poet of considerable merit himself.
7 *Il David* the huge statue of David, the original of which is in the Accademia Gallery, Florence, the statue outside the Palazzo Vecchio being a good copy.
La Pietà the word is better left untranslated. It signifies a statue or picture of the Blessed Virgin Mary holding the body of the Dead Christ.
Il Mosè the titanic statue of Moses in the Church of San Pietro in Vincoli, Rome, noted for the horns protruding from Moses' head.
8 *Nella volta della cappella Sistina . . .* the reference is to the huge fresco of the Last Judgment in the Sistine Chapel in the Vatican.
9 *come se fosse* this is the imperfect subjective mood, used in a hypothetical clause introduced by *se*.
10 *non fa meraviglia che . .* this is followed by the imperfect subjunctive of *chiamare* used after an impersonal expression.

27 Gl'italiani

(*Abbreviated and considerably adapted from the 'Selezione', October 1956, from an article by Angelo Pellegrini*)

La penisola italiana è piccola: 260.300 chilometri quadrati in tutto. Non è ricca di risorse naturali. È densamente popolata. Salvo rari casi, è stata eternamente vittima di tiranni stranieri e locali. Eppure da molti secoli continua ad attirare più viaggiatori di ogni paese del mondo.

Ciò non è senza ragione, poichè nell'antichità gli invasori nordici erano attratti dalla fertilità dell'Italia e dal clima. In seguito, a queste attrattive della natura si aggiunsero le attrattive della mente e del cuore.

Che cosa dà agli Italiani questa specialità di sembrare tanto simpatici? Possiamo dire che, come gl'Inglesi hanno innata l'arte del governo, gl'Irlandesi quella della rivolta, gli Americani quella di arricchirsi, così gli Italiani hanno il genio di vivere? Certamente, vecchi o giovani, nel lavorare come nel divertirsi, di ogni minuto sanno prendere tutto quel che può dare; questo è sicuramente il loro genio. Non accettano compromessi con la vita; per loro, vivere significa vivere in pieno, senza restrizioni. Sembrano possedere la capacità di distillare l'ultima goccia di godimento e di gioia dai momenti che passano.

Ogni avvenimento importante – nàscita, battesimo, comunione, matrimonio – si festeggia in un dato modo, ma sempre in grande stile. E quando un italiano muore, i supérstiti lo piangono a lungo, e inseriscono epitaffi eloquenti e commoventi negli annunci dei decessi nei giornali. Un popolo che possiede tanta cordialità, tanta ricchezza di calore umano, non può lasciarsi sfuggire un solo istante di vita senza osservarlo. Per esempio, se succede un incidente stradale, gl'Italiani non sono lì come spettatori, ma come protagonisti di un momento di vita. Fanno domande, danno consigli, parteggiano per l'uno o per l'altro; e quando arriva il vìgile, dimenticano i loro contrasti e si alleano istintivamente contro di lui: simbolo di tutte le restrizioni.

Expressions

salvo rari casi	except in rare instances
in seguito, a queste attrattive . . . si aggiunsero	later on, there were added to these attractions
il genio di vivere	the gift of living
si festeggia in un dato modo	is celebrated in a special way
i supérstiti lo piangono a lungo	those he leaves behind mourn him for a long time (*I superstiti* lit. 'the survivors')
negli annunci dei decessi	in the death columns
non può lasciarsi sfuggire un solo istante di vita	cannot let a single moment of life elude them
se succede un incidente stradale	if a street accident takes place
danno consigli	they give advice
parteggiano per l'uno o per l'altro	they take sides with one or the other
dimenticano i loro contrasti	they forget their differences

Questions

1 Qual'è la superficie della penisola italiana?
2 Quale genio speciale possiedono gl'italiani?
3 Che cosa significa vivere, per gl'italiani?
4 Quali avvenimenti si festeggiano in grande stile?
5 Dove inseriscono gli epitaffi i superstiti?
6 Quando dimenticano i loro contrasti in un incidente stradale gli astanti?
7 Qual'è la Sua opinione degli italiani?
8 Crede che gl'inglesi prendano la vita troppo sul serio?

28 Il problema del Mezzogiorno

Abbiamo parlato or ora di Danilo Dolci, e di quanto fa per alleviare le condizioni dei poveri nella Sicilia occidentale. Purtroppo, anche l'Italia meridionale (che si chiama spesso 'il Mezzogiorno') ha dei problemi sociali ed economici molto gravi, pur essendo meno gravi di quelli siciliani. E il Mezzogiorno non ha un Danilo Dolci.

L'Italia, da Napoli in giù, è la parte meno sviluppata della penisola, e la parte più trascurata e malgovernata attraverso i secoli. Tradizionalmente, dunque, è sempre stata povera ed arretrata. Carlo Levi, uno scrittore italiano contemporaneo, ha descritto in modo indimenticabile le condizioni penose di questa zona trent'anni fa nel suo libro *Cristo si è fermato a Eboli*. Levi, anti-fascista, fu esiliato in un paese della Lucania (o Basilicata[1]) durante gli Anni Trenta dal Governo fascista, e il libro è il frutto delle sue esperienze in quelle terre.

È soltanto giusto dire che le condizioni del Mezzogiorno, in generale, sono migliorate da quei giorni, grazie, in gran parte, alla famosa 'Cassa per il Mezzogiorno'. Questo è un ente pubblico istituto nell'anno 1950, per opere destinate al miglioramento economico e sociale del Mezzogiorno. In questi ultimi anni delle somme enormi sono state stanziate per varie opere in questa zona disgraziata: milioni di alberi sono stati piantati per combattere il disboscamento; si combatte l'analfabetismo; si cerca di modernizzare i metodi di agricoltura; si costruiscono migliaia di case moderne, e varie piccole industrie sono già sorte in certe regioni, specie alla periferia di Napoli. Eppure, malgrado quanto si è fatto per migliorare le condizioni dell'Italia meridionale, il contrasto fra il Settentrione e il Mezzogiorno è tuttora troppo grande, e per migliaia di meridionali l'emigrazione rimane la sola via di scampo.

Expressions

or ora	just now
pur essendo meno gravi	though less serious
attraverso i secoli	down the centuries
gli Anni Trenta	the Thirties
'Cassa per il Mezzogiorno'	Fund for the South of Italy
sono state stanziate	have been contributed
malgrado quanto si è fatto	in spite of what has been done
via di scampo	way of escape

Questions

1. Quali problemi ha il Mezzogiorno?
2. Chi ha descritto in un suo libro le condizioni della Lucania?
3. Quanti anni fa fu inaugurata la 'Cassa per il Mezzogiorno'?
4. Perchè sono stati piantati milioni di alberi?
5. C'è un miglioramento notevole nelle condizioni del Mezzogiorno oggi?
6. Che cosa è l'emigrazione?
7. Qual'è la causa principale del 'Problema del Mezzogiorno'?
8. Secondo lei, sarebbe meglio se il Mezzogiorno possedesse l'autonomia amministrativa?

Note

1 In the extreme south, actually in the 'instep' of Italy, Basilicata is probably the poorest region in the entire peninsula.

29 Le Stagioni

Dicea la primavera: io porto amore
E ghirlande di fiori e di speranza

Dicea l'estate: ed io, col mio tepore,
scaldo il seno fecondo all'abbondanza

Dicea l'autunno: io spando a larga mano
frutti dorati alla collina e al piano

Sonnechiando dicea l'inverno annoso:
penso al tanto affannarvi, e mi riposo.

(*Renato Fucini*)

Questa breve poesia esprime molto bene le caratteristiche di ciascuna delle quattro stagioni.

Molte persone considerano la primavera la più bella di tutte le stagioni. L'aria è fresca e frizzante, gli uccelli cominciano a cantare, i fiori a sbocciare, e sui rami degli alberi spuntano delle foglie verdi e tenere. In questa stagione vengono in mente quelle strofe sublimi del poeta italiano Giovanni Pascoli[1]:

C'è qualcosa di nuovo oggi nel sole,
anzi d'antico: io vivo altrove, e sento
che sono intorno nate le viole.

Sono nate nella selva del convento
dei cappuccini, tra le morte foglie
che al ceppo delle quercie agita il vento.

Si respira una dolce aria che scioglie
le dure zolle, e visita le chiese
di campagna, ch'erbose hanno le soglie . . .

Insomma, è la stagione del risveglio della natura, stagione di nuove speranze ed aspirazioni dopo il letargo e il grigiore dell'inverno.

L'estate è la stagione preferita dai più, perchè è soprattutto la stagione delle vacanze – le famose vacanze estive. Quasi tutti vanno in villeggiatura, – in montagna, o al mare, specialmente in agosto. In Italia, il Ferragosto[2] è la festa più popolare d'estate. I giorni sono lunghi, il sole splende di continuo, e fa caldo, talvolta caldissimo. Le spiagge italiane sono affollate d'italiani e di stranieri, e specie quelle spiagge magnifiche della Riviera Adriatica.

Anche l'autunno è una bella stagione, il clima è più mite, anzi, ai primi di ottobre comincia generalmente a piovere, e qualchevolta ci sono dei nubifragi. Le foglie cominciano a cambiar colore, ed è soprattutto la stagione della vendemmia. Molte persone vanno in vacanza in autunno perchè non possono sopportare il caldo intenso dell'estate. Forse l'unico svantaggio dell'autunno è che le notti cominciano ad allungarsi.

Finalmente viene l'inverno, che può sembrare una stagione morta. Eppure, per molti, è la stagione degli sport invernali, non solo a Cortina d'Ampezzo – nelle Dolomiti, – o in Val d'Aosta, ma ormai anche in molti altri luoghi degli Appennini italiani. E soprattutto, l'inverno è la stagione di due grandi feste – il Natale, e il Capodanno, – feste che sono care al cuore di tutti gl'italiani.

Expressions

dicea	archaic and poetic form of *diceva*
scaldo il seno fecondo	I warm earth's fruitful bosom
all'abbondanza	so that she produces abundantly
penso al tanto affannarvi	I think of all your fretting

nella selva del convento dei Cappuccini	in the wood of the Capuchin Monastery
che scioglie	which breaks up
le dure zolle	the hard clods
ch'erbose hanno le soglie	with their grass-grown thresholds
preferita dai più	which most people prefer
in villeggiatura	on holiday
ai primi di ottobre	at the beginning of October
Capodanno	New Year

Questions

1 Perchè la primavera è la stagione del risveglio?
2 Che cosa fanno quasi tutti d'estate?
3 Che cosa è il 'Ferragosto'?
4 Qual'è lo svantaggio principale dell'autunno?
5 In quale stagione sono più lunghi i giorni?
6 Gli sport invernali sono limitati all'estremo nord dell'Italia?
7 Qual'è la festa che Le piace di più?
8 Qual'è la Sua stagione preferita, e perchè?
9 Quale preferisce: la prosa o la poesia? Perchè?

Notes

1 *Giovanni Pascoli* (1855–1912) sometimes said to be the only real romantic poet produced by Italy.
2 *Il Ferragosto* 15th August.

30 I fratelli Bandiera

Tra i membri del movimento 'La Giovane Italia', fondato da Giuseppe Mazzini, vi furono i fratelli Attilio ed Emilio Bandiera, ufficiali della marina austriaca. Furono costretti a fuggire da

Venezia per evitare l'arresto. Si rifiugiarono nell'isola di Corfù, insieme con l'amico Domenico Moro. Ivi si unirono con altri prófughi italiani, e aspettarono il momento opportuno per agire a favore della patria.

Un giorno, giunse agli ésuli notizia di un movimento rivoluzionario che stava per scoppiare nella Calabria. I membri del gruppo risolsero di andare a prendervi parte. Partirono il 16 giugno, 1844, e sbarcarono sulla costa italiana, vicino a Cotrone nella Calabria, nella speranza di essere accolti favorevolmente dagli abitanti. Invece, trovarono la polizia borbonica, chc un compagno traditore aveva informato del loro arrivo. Sebbene tentassero di resistere, furono arrestati e condannati a morte. Il 25 luglio, alle cinque del mattino, Attilio ed Emilio Bandiera, con sette altri patriotti, caddero crivellati di proiéttili davanti al plotone d'esecuzione. Il Mazzini, negli *Scritti Politici*, descrive quest'episodio così:

'S'avviarono col volto sereno e ragionando tra loro al luogo dell'esecuzione. Giunti, e apprestate le armi dai soldati, pregarono che si risparmiasse[1] la testa, fatta a immagine di Dio, guardando ai pochi muti, ma commossi circostanti, e gridarono: "Viva l'Italia"! e caddero morti.'

Oggi, i fratelli Bandiera sono ricordati fra gli eroi più celebri del Risorgimento italiano.

Expressions

furono costretti	they were forced
giunse agli ésuli notizia	news reached the exiles (verb: *giungere*)
che stava per scoppiare	which was on the point of breaking out
di essere accolti favorevolmente	of having a favourable reception (verb: *accogliere* 'to welcome')
borbonica	*Bourbon*
sebbene tentassero[2]	although they attempted
giunti[3]	having arrived (there)
apprestate le armi dai soldati	when thc soldiers had made ready their rifles

Questions

1. Chi erano i fratelli Bandiera?
2. Perchè fuggirono nell'Isola di Corfù?
3. Perchè decisero di tornare in Italia?
4. Perchè fece fiasco la loro avventura? (fare fiasco *to be a complete failure*).
5. Quanti patriotti furono condannati a morte dalla polizia borbonica?
6. Quale favore domandarono i patriotti ai soldati?
7. Che cosa dissero i circostanti?
8. Parli un po' del Risorgimento italiano.

Notes

1. *risparmiasse* imperfect subjunctive of *risparmiare* after a verb of requesting.
2. *tentassero* subjunctive mood after *sebbene* introducing a concessive clause.
3. *Giunto* past participle of *giungere*.

31 Scurpiddu e i tacchini

The following passage is slightly adapted and somewhat curtailed from the book "Scurpiddu" by Luigi Capuana (1839–1915) the novelist and critic, and early Italian champion of realism ('il verismo'). In addition to some six novels, he also published several volumes of short stories, a number of plays in Sicilian dialect, and four volumes of delightful fairy stories. "Scurpiddu" is one of his books for young people, and like most of Capuana's best works, it has a Sicilian setting. The book is about a young Sicilian waif of nine, and his various adventures. In the present extract, the boy, who is a herd-lad, is addressed by two men whom the Carabinieri are evidently pursuing.

– Senti, ragazzo, dov'è massaio Turi?
– Alla masseria.

– Va' a dirgli: Ci sono due amici che vogliono qualche pagnotta e un fiasco di quello bono. Pel resto, si prenderanno un tacchino; e vi salutano tanto. Così devi dirgli. Va'!

– E i tacchini a chi li lascio? – rispose Scurpiddu piagnucolando.

– Li guarderemo noi, non aver paura. Digli: Ci sono due amici . . .

E colui che parlava – l'altro stava zitto – replicò le parole del messaggio, soggiungendo:

– E digli: Devo portare tutto io e non altri. E non tardar troppo, va'!

Scurpiddu si avviò subito, giacchè quell'amico comandava con modi bruschi; e di tratto in tratto si voltava indietro per vedere se tutti e due erano ancora colà. Poi si era messo a correre, e alla masseria era arrivato ansante, in sudore.

Chiamato in disparte il massaio, gli aveva fatto l'ambasciata, senza dimenticare una sillaba.

Massaio Turi aggrottò le sopracciglia, increspò le labbra, stette un istante a riflettere, e rispose:

– Va bene; aspetta qui.

E dopo pochi minuti, ricomparve tenendo pel collo un fiasco di terracotta coi mànichi, e una salvietta con le pagnotte richieste.

– Dirai a quegli amici: Dice il massaio: Se vi occorre un tacchino, prendetelo. E dice: che da queste parti non c'è aria bona, perchè tira vento quasi ogni giorno. E dice che vi saluta tanto, e che il Signore vi aiuti. Tu poi non dirai niente di questo con nessuno; hai capito?

– Sissignore.

– E sbrígati!

Andava di corsa. Intanto pensava perchè il massaio mandava a dire a quegli amici: – Qui tira vento ogni giorno? – Non era vero. Che vento? Uh! Ma del tacchino voleva di essersene scordato. Quale avrebbero preso? Notaio? Don Pietro? Scurpiddu? Era molto triste all'idea che potessero portargli via il suo tacchino preferíto.

Quando arrivò lassù, non trovò gli amici. I tacchini si erano un po' sbandati. Posò per terra il fiasco e le pagnotte, e li rincorse. Scurpiddu* era là.

* Here refers to the turkey, and not to the lad. They bore the same name!

Respirò. Tutt'a un tratto si vide davanti uno di quei due, senza fucile nè pistole, quasi fosse uscito di sotto terra. E prima di prendere il fiasco e la salvietta col pane, colui si frugò in una tasca del panciotto.

– Tieni, questi sono per te.

Gli mise in mano dieci soldi.

– Dice il massaio! . . .

E Scurpiddu ripetè quel che massaio Turi gli aveva dato incarico di dire. Quando ripetè: Qui tira vento quasi ogni giorno, l'amico fece una smorfiaccia che voleva essere una risata.

– Gli dirai: Grazie anche di questo. Il tacchino lo mangeremo alla sua salute. E tu . . .

Mise l'indice su le labbra; voleva dire: Silenzio!

– Sissignore.

Dunque l'avevano già preso il tacchino! E cercò con gli occhi tra il branco. Mancava Notaio!

E Paola? Dov'era?

Cominciò a chiamarla con la voce e col fischio, guardando attorno. Non si vedeva, nè si sentiva gracchiare.

– Paola! Paola!

Poi lo zio Girólamo gli gridò da lontano:

– E' quiii! E' quiii!

Volava da un bue all'altro, beccandoli sul dorso; e i buoi la scacciavano con la coda o con le corna, e Scurpiddu chiamò:

– Paola! Paola!

La tàccola accorse ad ali spiegate, gracchiando allegramente; gli fece un bel giro attorno, in alto, e poi tornò dai buoi.

– E' in cóllera, povera bestia, perchè l'ho lasciata sola.

Scurpiddu e la tàccola s'intendevano così bene, ch'egli non fu meravigliato di quell'atto.

– Ora viene, senza che io la richiami, – pensava.

E infatti poco dopo la tàccola volò diritto verso di lui e gli si posò su la spalla.

– Non ti lascierò più sola, mai più!

L'accarezzava con una mano, e Paola gli beccava delicatamente l'orecchio. Lo ammoniva davvero di non lasciarla più sola?

Expressions

massaio[1]	a Sicilian term for a farmer (tenant or bailiff) and here used as a title
masseria	farm (again a predominantly Sicilian term. There is no *one* word for 'farm' in Italian, just as there is no one word for 'farmer')
quello bono	that good wine
di tratto in tratto	from time to time
se tutti e due erano ancora colà	whether they were still both there
si era messo[2] *a correre*	he had started to run
chiamato[3] *in disparte*	having called aside
se vi occorre un tacchino	if you need a turkey
da queste parti	in this area; round here
tira vento	it's windy
che il Signore vi aiuti	May the Lord help you!
sbrigati!	get a move on! (familiar imperative of the verb *sbrigarsi*)
di essersene scordato	to have forgotten it
e li rincorse	and ran after them
quasi fosse uscito	as if he had come out
accorse ad ali spiegate	came running up with outstretched wings

Questions

1. Perchè Scurpiddu piagnucolava?
2. Scurpiddu poteva ricordare tutti quanti i dettagli del messaggio?
3. Che cosa gli diede uno degli 'amici'?
4. Che cosa significava il messaggio 'Qui tira vento quasi ogni giorno'?
5. Quale dei tacchini avevano preso gli 'amici'?
6. In che modo i buoi scacciavano Paola?
7. Perchè era in collera la taccola?
8. Chi erano in realtà gli 'amici'?

9 Quale impressione Le dà questo racconto della vita Siciliana di quasi cento anni fa?
10 Secondo Lei, che tipo di ragazzo era Scurpiddu?

Notes

1 *massaio* the fem. form of this word is standard Italian for 'housewife', though *casalinga* is now perhaps a commoner term.
2 *si era messo* pluperfect of *mettersi a* . . . + infinitive= *cominciare a* . . .
3 *chiamato* the 'absolute' use of the past participle.

32 Baraonda nel consiglio comunale

Mi rammento benissimo una visita a Firenze nel 1949, davvero indimenticabile! In quei giorni, la mia conoscenza della lingua italiana non era molto buona, e cercavo di migliorarla. Frequentavo un corso all'Università per Stranieri a Perugia, a cui ho accennato in un articolo precedente.

Un giorno, quando non avevo lezioni, decisi di fare una breve visita a Firenze, che non dista troppo da Perugia – 130 km. circa. Presi dunque il treno di buon'ora, e arrivai a Firenze verso le 10.00. Fortunatamente, alla mensa universitaria incontrai un giovane studente di medicina, che stava per dare gli esami finali del suo corso. Suo padre era pastore di une Chiesa Metodista, e siccome mi sarebbe piaciuto molto vedere una tal chiesa in Italia, mi portò a vedere la Chiesa Metodista[1] di Firenze. Era in Via dei Benci. Non avevamo la minima idea allora che nel 1966, e precisamente nel mese di novembre, quella stessa chiesa sarebbe stata allagata e danneggiata severamente dalle acque dell'Arno, poco lontana dalla chiesa di Santa Croce, anch'essa vittima dell'inondazione. Poche settimane dopo questa catastrofe, il Cardinale Arcivescovo di Firenze consegnò personalmente al pastore della Chiesa Metodista una somma notevole come gesto di fratellanza e di aiuto pratico nel comune disastro.

Quella stessa sera, il mio amico studente mi disse:

– Vorrebbe assistere ad una riunione del Consiglio comunale?

– Magari! risposi.

Ci recammo dunque quella sera al Palazzo Vecchio, quel vecchio palazzo medievale che ha visto tante assemblee attraverso i secoli. Nella gran sala, ornata di tappezzerie che risalgono al medioevo, la seduta del consiglio comunale era in pieno svolgimento. In quell'aula secolare e storica, cercavo di evocare i secoli passati, e immaginavo che ci fossero[2] Dante e gli altri Priori[2] di Firenze, e il Consiglio della Repubblica di Firenze.

I membri del Consiglio municipale quella sera erano tanto eccitati. C'era uno strépito enorme: chi gridava una cosa chi un'altra. Altri agitavano le braccia, quasi stessero[3] per battersi. Mi ricordo come se fosse oggi il sindaco comunista,[4] che mi sembrava straordinariamente giovane. Disse con calmo ad un membro del consiglio che agitava le braccia e gridava in maniera sconcertante:

– Non si arrabbi! Non si arrabbi! Quel sindaco si manteneva tanto tranquillo in mezzo a tutto quel tumulto, che minacciava di diventare una vera zuffa.

Purtroppo proprio allora noi fummo costretti a tornare a casa, poichè io dovevo tornare a Perugia molto presto l'indomani. Ci sarebbe tanto piaciuto vedere l'ésito di quella baraonda. Certo, non potevo afferrare la causa del tumulto. A giudicare dalle apparenze, si sarebbe detto che Firenze stesse[5] per dichiarare la guerra contro una città vicina, quale Pisa, Siena, o Pistoia. Poi il mio amico mi spiegò, ridendo, che la causa di tutta quell'agitazione era – se il consiglio dovesse[6] proibire biciclette dal centro della città o no! Che tempesta in un bicchier d'acqua!

Expressions

cercavo di migliorarla	I was trying to improve it
alla mensa universitaria	in the University refectory
magari!	wouldn't I just!
in pieno svolgimento	in full swing
chi . . . chi . . .	some . . . others . . .
quasi stessero per battersi	as if on the point of fighting
una vera zuffa	a real free-for-all
noi fummo costretti	we were obliged
che tempesta in un bicchier d'acqua!	what a storm in a tea-cup!

Questions

1 Quando lo studente inglese fece la sua visita a Firenze, aveva una conoscenza profonda della lingua italiana?
2 Dove studiava a quel tempo?
3 Il giovane che incontrò a Firenze, era laureato?
4 Quale chiesa andarono a vedere insieme?
5 A chi l'Arcivescovo di Firenze diede il denaro?
6 Dove andarono lo studente inglese ed il suo amico quella sera?
7 Fu tranquilla la sessione del consiglio municipale?
8 Che tipo di signore era il sindaco di Firenze?

9 Perchè i due amici dovettero tornare a casa prima della fine della sessione?
10 Perchè si può dire che la baraonda fu una 'tempesta in un bicchier d'acqua'?
11 Sa dire qualcosa dell'inondazione di novembre 1966?
12 '... gesto di fratellanza'. Dica qualcosa dei rapporti attuali tra cattolici e protestanti nell'Europa.

Notes

1 *La Chiesa Metodista* Methodism was founded in Italy by the Rev. Henry Piggott, an Englishman, who with Richard Green was commissioned in 1861 as missioner for Italy. The Methodist Church at Florence was once a Catholic Church built in the fourteenth century. In the tiny cloister lies buried the inventor of the spinet. (See R. Kissack's 'Methodists in Italy', Cargate Press.)
2 *fossero* imperfect subjunctive after *immaginavo che*. *Priori* at this period Florence was a republic and the 'Cabinet', so to speak, of the governing body consisted of seven priors who held office for only two months. Dante was one of them from 15th June–15th August, 1300.
3 *quasi stessero* imperfect subjunctive of *stare* in a hypothetical clause introduced by the conjunction *quasi*. Note also *stare per*+infinitive 'to be about to'.
4 *il sindaco comunista* I later learned that he was the well-known and popular *Mario Fabiani* (born 1912), who was a strong anti-Fascist and was condemned by the Fascists to 22 years' imprisonment, nine of which he served. He then became a partisan leader. He was mayor of Florence from 1946-1951 and is now a Senator of the Republic.
At only 35 he certainly *was* quite young to be Mayor of Florence.
5 *stesse* as in note 3 this is imperfect subjunctive of *stare*, here in an indirect statement dependent on *si sarebbe detto* 'you would have said that'.
6 *dovesse* imperfect subjunctive of *dovere* in a clause introduced by *se* and dependent on some such verb as *si domandavano* (understood but not actually expressed).

33 Delitto d'onore

This is part of one of the regular full-page humorous articles of Giovanni Guareschi, the creator of the immortal 'Don Camillo', and one of Italy's most celebrated humorous writers. These articles appeared in the magazine 'Oggi' until the Spring of 1968 (when Guareschi died suddenly) under the general title – Telecorrierino Gio' is supposed to be the Guareschi family servant, who takes on a shop-assistant's job against her master's advice.

Una sera, Gio' telefonò dalla città:

– Ho perso la corriera, – spiegò, – ma, non appena avrà chiuso il negozio, il signor Francesco, molto gentilmente, mi riporterà a casa in macchina. Quindi non si preoccupi.

– E perchè dovrei preoccuparmi io quando sei tu a salire sulla macchina d'uno sconosciuto? – replicai.

– È una persona per bene. Comunque so difendermi.

– Gio', – insistei, – ho letto cento volte, sui giornali, di ragazze 'ribelli' buttate giù da una macchina e costrette a tornare a casa a piedi.

Rise di gusto:

– E chi ci bada a quei disgraziati di giornalisti che spaventano le ragazze parlando di terribili 'sevizie', mentre si tratta delle solite stupidaggini?

Riattaccò.

Era una sera piena di nebbia e, siccome la ragazza tardava a tornare, Margherita entrò in allarme:

– Giovannino: se fra mezz'ora non è qui, io telefono in città alla polizia!

Non ce ne fu bisogno: un quarto d'ora dopo, una macchina si fermava nel cortile e ne scendeva Gio'.

– Lui, – mi disse la ragazza entrando in tinello, – lui che ha letto tante volte sui giornali di ragazze ribelli buttate giù dalla macchina e costrette a tornare a casa a piedi, ha mai letto il caso di un cretino che viene buttato giù dalla sua macchina e deve tornarsene a piedi lui?

– No, mai.

– Lo leggerà domani, – disse Gio'.

Margherita guardò sbalordita la ragazza:

– Vorresti dire che quel tízio non si è comportato bene e tu l'hai buttato giù tornando sola con la sua macchina? Come hai potuto fare una cosa simile?

– Signora, lei mi aveva detto di comprare in città un batticarne: l'ho comprato e l'ho usato.

– Capisco, – dissi io. – In altre parole tu, dopo aver rotto la testa a un tizio, gli hai rubato la macchina.

– Furto d'uso per motivi d'onore, – spiegò calma Gio'.

– E se l'hai ammazzato? – gemette Margherita.

– Poco male: delitto per motivi d'onore. Sei mesi con la condizionale, applausi a scena aperta e offerte di matrimonio. Oltre al resto temo di non averlo ucciso per via del cappello che ha attutito il colpo.

Margherita era impressionatissima:

– E adesso come si fa con la macchina?

– La si lascia in cortile, – spiegò calma Gio'. – Gli avevo spiegato, a quel cretino, dove doveva portarmi. Se non è morto troverà la strada.

Non era morto. Arrivò dopo tre ore. Bussò e andai ad aprirgli.

– Quella macchina è mia, – disse. – Se mi dà le chiavi, me la riprendo.

– La macchina è capitata nel mio cortile non so come, – risposi. – Non metto in dubbio la sua parola, ma devo telefonare al maresciallo. Oltre al resto io non ho le chiavi.

– Le ho io, – comunicò Gio' apparendo col pestacarne stretto nella destra e le chiavi nella sinistra.

– Quel posto di commessa non mi interessa più, – disse Gio' buttando al tizio le chiavi.

L'uomo, un signore sui 30, era imbarazzatissimo:

– Mi spiace d'averla disturbata, – balbettò. – Comunque, si è trattato di uno spiacevole equivoco.

Aveva sulla fronte un bernóccolo grosso come un melone e io compresi che l'equívoco doveva essere stato veramente spiacevole.

Andò a infilarsi nella sua macchina e disparve[1] nella nebbia. Gio' guardò il batticarne che aveva ancora stretto in pugno e disse con un sospiro:

– È proprio vero: la carne è debole.

Expressions

non appena avrà chiuso il negozio	the moment he's shut up shop
sei tu a salire sulla macchina	it's *you* who are getting into the car
una persona per bene	a respectable person
rise di gusto	she laughed with zest
che viene[2] buttato giù	who is thrown out
quel tizio[3] . . .	that chap
dopo aver rotto la testa a un tizio	after having broken some chap's head
furto d'uso per motivi d'onore	common larceny committed to preserve one's honour
poco male	it doesn't much matter
sei mesi con la condizionale,	six months suspended sentence,
applausi a scena aperta	applause during the trial
oltre al resto	anyway
è capitata	turned up
me la riprendo	I'll have it back again

col pestacarne stretto nella destra	with the meat mallet clenched in her right hand
sui trenta	around thirty
si è trattato di uno spiacevole equivoco	the whole thing was an unfortunate misunderstanding
andò a infilarsi nella sua macchina	he got into his car

Questions

1 Chi era Gio'?
2 Chi offrì di riportare Gio' a casa in macchina sua?
3 Che tempo faceva quella sera?
4 Margherita dovette telefonare alla polizia?
5 Perchè Gio' rincasò sola a casa nella macchina?
6 Che cosa aveva comprato in città?
7 Perchè Gio' credeva di non aver ucciso il signor Francesco?
8 Gio' voleva continuare come commessa al negozio di Francesco?
9 Gio' aveva ferito Francesco quando lo colpì col pestacarne?
10 Giovanni Guareschi vive ancora?
11 Qual'è il suo parere dell'umorismo di Guareschi?
12 Parli del carattere di Gio'.

Notes

1 *disparve* past historic tense of *disparire.*
2 *che viene* another instance of the very frequent use of *venire* in the passive voice in place of *essere.*
3 *tizio* this word is taken from the mythological character Tityus. *Un tizio* is 'a chap', 'somebody or other'. *Un tizio qualunque* is 'a nobody'. Note also that *Tizio, Caio, e Sempronio* means 'Tom, Dick and Harry'.

Girland non insistette. Scese a pianterreno e prima di uscire dall'ascensore prese dal portafogli due biglietti da[1] dieci franchi e andò a bussare alla guardiola del portiere.

Una donnona coi bigodini e uno scialle sulle spalle aprì e osservò Girland con quell'aria sospettosa e guardinga, tipica delle portinaie di Parigi.

Girland l'affrontò con grazia.

– Scusatemi, signora, mi spiace disturbarvi, ma devo vedere urgentemente il signor Rosnold.

– Quarto – grugnì la portinaia facendo il gesto di chiudere l'uscio.

– Forse potreste farmi un favore – insistè Girland facendo intravedere il denaro.

La portinaia guardò i biglietti e di colpo parve meno ostile.

– Immagino che sarete molto occupata – riprese Mark – e non vorrei farvi perdere tempo, ma sono già salito al quarto e mi hanno detto che il signor Rosnold era assente. Ho bisogno di vederlo con la massima urgenza. Non sapreste dov'è?

– La sua segretaria non ve l'ha detto? – fece la portinaia sbirciando il denaro.

– E' stata evasiva. Vedete, signora, il signor Rosnold mi deve del denaro e se non riesco a farmi rimborsare immediatamente, rischio di avere delle gravi noie. Non potreste aiutarmi voi . . . ?

Girland sorrise con aria disarmante, allungando il denaro. La mano della portinaia si allungò in avanti per toglierglielo dalle dita.

– So dov'è – disse abbassando la voce. – La sua segretaria ha ricevuto ieri una lettera. Ho riconosciuto la calligrafia del signor Rosnold e il timbro mi ha interessato. Veniva dall'Alpenhoff Hotel di Garmisch . . . Lui si trova là. Quando è partito mi ha detto che si sarebbe assentato per un mese.

– Quando è partito?

– Lunedì scorso.

– Siete molto gentile. Grazie infinite, signora.

– Spero che possiate[2] ricuperare i vostri soldi. Non è una persona per bene. Sapete . . . Tirchio in un modo . . . – aggiunse con una smórfia.

Girland la ringraziò e uscì nella via affollata. Diede un'occhiata all'orologio: erano le quattro e venti. Decise di fare una capatina al Sammy's Bar per dire due parole a Jack Dodge, la seconda pista indicatagli da Benny.

Il Sammy's era in rue de Berri, vicino agli Champs-Elysées. Era un piccolo bar dalle luci velate come ne spuntano a centinaia nei quartieri frequentati dai turisti. Il bar era a sinistra della lunga e stretta sala e il lato destro era occupato da una panchetta e da tavoli. A quell'ora non c'era che il barista, immerso nello studio del programma delle corse, con in mano una biro, l'aria assorta.

Girland intuì subito che quello era Jack Dodge. Con i capelli biondi, l'abbronzatura artificiale, le spalle possenti e gli occhi un po' cerchiati, aveva tutto dello stallone: una massa sensuale di carne e di muscoli. Niente cervello, ma dal lato donne, un leone.

Il barista alzò gli occhi e piegò il giornale delle corse.

– Signore? – disse con un sorriso servile.

Girland si issò su uno sgabello.

– Bourbon e ginger ale.

– Sì, signore . . . un ottimo corroborante.

– E' quello che mi ci vuole. Prendetene uno anche voi.

– Non dico di no . . . Il primo della giornata.

Il barista preparò i beveraggi con un sacco di giochetti inutili, ne piazzò uno davanti a Girland e alzò l'altro.

– Alla vostra!

Bevvero un sorso e Mark domandò distrattamente:

– Jack Dodge, siete voi?

Il barista inarcò un sopracciglio biondo.

– Sì, sono io. Non mi ricordo di avervi visto, eppure sono un fisionomista.

– Bene! Vorrei che vi ricordaste di[3] una ragazza.

– Ne vedo passare molte, qui. Non posso garantire di riuscire a riconoscerle tutte. Io, guardo gli uomini – disse con un sorriso pieno di sottintesi. – Sono loro che pagano.

From James Hadley Chase: *Un Agente molto speciale.*
Original title: *The Whiff of Money.*
Translated into Italian by B. J. Lazzari (Mondadori).

Expressions

alla guardiola del portiere	at the concierge's lodge
una donnona coi bigodini	a big woman with her hair in curlers
l'affrontò con grazia	faced her with charm
facendo il gesto di	making as if to
di colpo parve	all at once appeared (verb: *parere*)
fece la portinaia	asked the concierge
a farmi rimborsare	to get paid back
allungando il denaro	holding out the money
si allungò in avanti	stretched forward
una persona per bene	a nice sort of person
diede un'occhiata	glanced (verb: *dare*)
fare una capatina	to look in
dalle luci velate	with dimmed lights
a centinaia	in hundreds, by the hundred
l'aria assorta	totally absorbed (verb: *assorbire*)
un ottimo corroborante	a first-rate pick-me-up
è quello che mi ci vuole	it's what I need
con un sacco di giochetti inutili	with a whole lot of superfluous little flourishes
inarcò un sopracciglio biondo	raised a blond eyebrow
vorrei che vi ricordaste[3]	I should like you to recall

Questions

1. Qual'è l'aria tipica delle portinaie di Parigi?
2. Perchè la portinaia ad un certo punto parve meno ostile di prima?
3. Perchè Girland voleva vedere il signor Rosnold?
4. Come sapeva la portinaia che Rosnold era a Garmisch?
5. Il Sammy's Bar era affollato?
6. Perchè il barista aveva in mano una biro?
7. Dia la definizione di 'un fisionomista'.
8. Che tipo di persona era Jack Dodge?
9. Le piacciono i 'gialli'? Ne parli un po'.
10. Quali impressioni si è fatto Lei su Girland?

Notes

1 *biglietti da* notice that the denominations of coinage, banknotes, postage-stamps, etc. require the preposition *da* and not *di*.
2 *possiate* the subjunctive mood after a verb of hoping.
3 *Vorrei che vi ricordaste di* the subjunctive mood is used after a verb of wishing, when there is a change of subject. Notice the difference between this expression and *Vorrei ricordarmi di*.

35 Pablo a Roma

The following passage, slightly adapted and curtailed, is taken from 'Il Compagno' by Cesare Pavese, (d. 1950), one of the best short-story writers and novelists that Italy has produced this century.

'Il Compagno' is the most affirmative and engagé of Pavese's novels and includes, among others, the theme of solitude and the effect on young people from the provinces of life in the metropolis, – two recurring themes of Pavese. We see Pablo, an adolescent from Turin, leading an irresponsible and aimless existence in Rome. However, this self-assured aspect of Pablo is not really typical, for later he achieves some maturity and becomes politically involved in anti-Fascism. There is little doubt that Pavese intended Pablo, to some extent, to represent himself.

The reader will note some dialectal elements which occasionally affect the syntax, but this is somehow moderated by the first-person narrative.

Mi svegliai l'indomani ai rumori della strada, ma la casa era zitta e faceva giorno da un pezzo. M'accorsi subito che l'aria era diversa, e sembrava più chiara e più asciutta – era come il sereno di luglio in un giorno di gennaio: 'Che cos'è quest'odore?' dissi alla vecchia che girava. 'È il caffè' disse lei 'ne volete una tazza?' Ma non era soltanto il caffè; quando uscii lo sapevo. Sulla piazza, davanti alle due statue del ponte, c'era una squadra di stradini che bollivano il catrame. 'Anche Roma è un paese civile' pensai.

Ci sistemammo che dormivo dalla vecchia, la Marina, e mi vedevo con Carletto tutto il giorno e mangiavo con loro. Dorina era ancora più grassa della foto di Genova: sembrava una mamma, la mamma di Carletto, ma era giovane. Girava per casa in vestaglia e gridava alle figlie – ne aveva due, due bambine, eran le figlie di un socialista ch'era dentro. Caso strano, Dorina che sapeva cantare e che aveva cantato, non parlava dell'arte. Trattava me e Carletto come fossimo dei poco di buono, dei perditempo e giocoloni ma con me disse subito ch'ero stato un tesoro. Non mi chiese che cosa avrei fatto per vivere. Le offrii dei soldi e non li volle. Disse a Carletto che al teatro lo aspettavano, e Carletto ci andò e fu accettato; io pensavo che quando una donna ti prende per figlio, o è già sposata o tu sei gobbo. Era proprio un ragazzo, Carletto, e ghignava. Quando gli dissi che tutto capivo ma non rubare la ragazza a chi è in prigione, mi rispose che una donna si ruba sempre a qualcuno e bisogna sbrigarsi, perchè poi viene il giorno che la rubano a te. 'Ma è in prigione' gli dissi. 'Si sa già' disse lui. 'Chi va in prigione lo sa che la donna si spassa. Non puoi vivere a Roma senza farci l'amore.'

Uscimmo insieme con Dorina e andammo a cena in trattoria. A lei piaceva accompagnare il suo Carletto al Varietà; era un piccolo palco in un cinema del centro, e la gente intorno gridava e parlava, come fosse la piazza del paese. Carletto finito il suo numero tornava da noi. Si mangiava insalate e frittelle, quel vino giallo non mi piacque il primo giorno, ma poi ci feci la bocca e bevevo e cianciavo. 'È un destino' dicevo a Dorina 'che dappertutto dove vado vivo sempre all'osteria.'

Mi piaceva di Roma proprio quel fare perditempo che si sente nell'aria. Se bevevo un bicchiere non era più come a Torino; non bevevo di rabbia e così per torcermi il sangue. Tutto, la gente, quelle case, il vino chiaro, me lo sentivo entrare dentro e ricrearmi. Sapevo di viverci e che avrei lavorato, che avevo dietro tanta strada e le montagne; mi faceva l'effetto ogni giorno di scendere allora dal camion e che, volendo, tutto il mondo era una strada come Roma. Se mi tornava quella rabbia di Torino, stringevo i pugni, alzavo gli occhi, mi muovevo, e pensavo che Pablo era a Roma. Bastava. Ero un altro, stavolta.

Con quei pochi che mi ero avanzato da casa, facevo la mia

figura. La Marina mi prendeva cento lire, e mi dava il caffè, mi lavava la roba. Le comprai delle arance e una volta suonai la chitarra. Era grassa anche lei ma così vecchia che non poteva camminare. La mattina se ne restava seduta in camicia e sottana, e mi guardava farmi la barba e mi diceva ch'ero giovane.

Poi mi spiegava che Roma era come una botte. Si dimenava sulla sedia e si lagnava. 'Se non fossi una vecchia' diceva. 'A noi romani piace troppo mangiar bene e andare a spasso. Siamo al punto che vedi. Quando son nata si viveva in Campitelli[1], per venire quaggiù la domenica dovevi fare testamento. Ebbene credi che tutte le case e le strade e i palazzi dal Flaminio fin qua li abbian fatti i romani? Ne ho viste tante, credi a me. Tutto voialtri avete fatto, voi siete, tutto voi forestieri. Noi si aveva le pietre, e chi sapeva ch'eran soldi?'

Allora uscivo e andavo a spasso. Mi guardavo le strade e i palazzi, e ce n'erano di così vecchi e mai visti, che soltanto i romani li avevano fatti. Non ci potevo quasi credere che della gente come me ci avessero messo la mano. Anche l'aria, il respiro era un altro. Mi fermavo sopra un ponte, guardavo, e ascoltavo parlare. C'eran colline e certe piante che da noi non si vedono. Quella vecchia Marina diceva per dire. Se stavo bene in quelle strade era soltanto perchè tutto mi pareva un'altra cosa. Eppure a volte, traversando ponte Milvio, le sere di luna, c'era quel salto di collina sopra il Tevere e quei boschi lontano, che sembravano i boschi del Po e la scarpata di Sassi[2]. Tutti i paesi visti sotto una collina sono uguali. Mi piaceva più quel pezzo che i palazzi di Roma. C'era un viale di plátani allo sbocco del ponte che mi pareva il Valentino o Stupinigi[3]. Ci passavano molti camion che andavano fuori. Nelle osterie si vedevano stradini e muratori, c'era odore di calce, tutto il giorno battevano mazza e piccone.

'Anche a Roma lavorano' mi disse Carletto. 'L'impresario è a palazzo Venezia[4]. Chi si fa i soldi non lo sa nessuno. Tiran su delle torri, dei ponti, dei cessi. Non importa che cosa.'

'Ma la gente ci vive.'

'Anche in galera c'è chi vive. Là ti danno anche il rancio.'

Una cosa poi mi disse la vecchia Marina. Mi aveva cercato tra la roba e sembrava scontenta. 'Non sei del Fascio'[5] disse un giorno. 'Non hai con te quella camicia.'

'C'è bisogno di averla?'

'È la sottana che fa il prete. Non te l'ha detto mamma tua? Vieni a Roma per fare quattrini o per spenderne?'

Scosse la testa e disse ancora: 'Stacci attento. Dei più furbi di te sono finiti in quel posto.'

Con il Fascio Carletto e Dorina ce l'avevano a morte. Ma era qui che Dorina maltrattava Carletto. Quando le figlie non rientravano a tempo, quando rompevano qualcosa, quando in piazza i balilla[6] le facevano scappare, cominciava la nonna a lagnarsi che vivessero in strada, che vestissero quella divisa; e Dorina a gridare che se un uomo non capisce quel che succede nel mondo, cosa possono fare le donne? Ce l'aveva con Carletto e col marito carcerato. Ce l'aveva con gli anni persi, coi conti sbagliati, coi quattrini non fatti. Rinfacciava a quell'altro di esser stato un illuso; a Carletto di ridere e prendere in giro. 'Se non fossi una donna' diceva 'farei . . . ' 'Che faresti?' diceva Carletto 'se stai meglio di tante.'

Ma del Fascio Dorina con me non parlava. Quando uscivamo noi due soli per andare da Carletto, lei mi chiedeva di Torino e dei negozi di mode, mi raccontava che in teatro c'era entrata per capriccio e che a Genova aveva venduto ogni cosa, le pellicce, i gioielli, la voce. Rideva. 'Non so perchè, voi torinesi mi piacete' disse allegra. 'Siete dei matti, dei maligni, dei fissati. Se non avessi una famiglia, quasi quasi . . . ' Io la tenevo a braccetto e pensavo a Torino. 'Sono a Roma' dicevo tra me, 'sono a Roma'.

from *Il compagno* by Cesare Pavese (Mondadori)

Expressions

da un pezzo	for quite a time
ci sistemammo che dormivo dalla vecchia	we arranged that I should sleep at the old lady's
ch'era dentro	who was inside (*i.e.*, in prison)
come fossimo dei poco di buono, dei perditempo e giocoloni	as though we were layabouts, time-wasters, gamesters
si sa già	we know that already
lo sa che la donna si spassa	knows very well that the woman has a good time
finito[7] *il suo numero*	when he'd finished his 'turn'
ci feci la bocca	I got a taste for it
e così per torcermi il sangue	and just to get the devil in my blood
con quei pochi che mi ero avanzato facevo la mia figura	with the bit of money I'd had left I managed to look quite smart
se ne restava seduta in camicia e sottana	there she would sit in her shift and skirt
andare a spasso	to stroll about
dal Flaminio fin qua	from the Flaminio right up to here (the reference is to a Rome suburb)
noi si aveva le pietre[8]	we had the stones
diceva per dire	said things for the sake of saying them
ponte Milvio	the Milvian Bridge
battevano mazza e piccone	translate as 'was heard the thud of sledge-hammer and pick-axe'
tiran su . . . dei cessi	they put up . . . lavatories

è la sottana che fa il prete	lit. 'it's the cassock that makes the priest', *i.e.*, 'clothes make the man'
stacci attento	watch out
ce l'avevano a morte (con)	loathed; really had it in for
che vestissero quella divisa[9]	that they (the girls) put on that uniform
rinfacciava a quell'altro	she would reproach that other fellow (*i.e.*, her socialist husband in goal)
e prendere in giro	and pulling her leg, teasing her
dei fissati	people obsessed
a braccetto	arm-in-arm
tra me	to myself

Questions

1 Di che cosa si accorse Pablo quando si svegliò?
2 Dorina accettò il denaro che Pablo le offrì?
3 Chi era in prigione?
4 Chi andò a cena in trattoria?
5 Com'era la vecchia Marina?
6 Secondo la Marina, sono industriosi i romani?
7 Quale viale a Roma ricordava a Pablo il Parco del Valentino?
8 Che cosa aveva cercato la Marina tra la roba di Pablo?
9 Quale tipo di negozio a Torino interessava Dorina?
10 Dica brevemente che impressioni si è fatto Pablo su Roma?
11 Che cosa significa 'il Fascio'?
12 Perchè la vecchia Marina era scontenta che Pablo non avesse con sè la camicia nera?
13 Lei credi che Roma sia una città affascinante? Perchè?
14 Parli un po' di Torino.
15 Sa parlare di altri scritti di Cesare Pavese?

Notes

1 *Campitelli* a district of Rome.
2 *la scarpata di Sassi* the embankment of Sassi (at Turin).
3 *il Valentino o Stupinigi* the Valentino is a beautiful and well-wooded park by the bank of the river Po at Turin. Stupinigi – a beauty spot near Turin where a former royal palace is situated.
4 *Palazzo Venezia* in the Piazza Venezia, Rome. Now a museum and also used for art exhibitions and concerts.
5 *del Fascio* one of the local Party (i.e., the Fascist Party, and the reference to the camicia which follows is that of the black shirt usually worn by party-members).
6 *i balilla* the *Balilla*, a uniformed youth movement of Fascism, with nationalistic and militaristic ideals, named after a young Italian hero.
7 an instance here of the 'absolute' use of the past participle.
8 *noi si aveva le pietre* this is strictly speaking a Tuscan idiomatic usage, and is equivalent to 'Noi avevamo le pietre'.
9 *vestissero quella divisa* i.e., the uniform of the Balilla. *Vivessero . . . vestissero . . .* are imperfect subjunctives after *lagnarsi che . . .* (a verb expressing emotion).

Vocabulary

The gender has not been given except where it is not obvious from the ending of the word (as in the case of nouns ending in *–e*) and in a few special cases. Otherwise the reader should assume that nouns ending in *–o* are masculine, and those ending in *–a* are feminine). Parts of verbs have been given in all cases where it was thought that the student might experience difficulty.

Abbreviations: *adj.*=adjective; *adv.*=adverb; *coll.*=colloquial; *f.*=feminine; *infin.*=infinitive; *m.*=masculine; *p.hist.*= past historic tense; *pl.*=plural; *p.p.*=past participle; *subj.*= subjunctive mood; *trans.*=transitive.

abbandonare, *to give up* (*an idea*)*; to abandon*
abbassare, *to lower*
abbastanza, *sufficiently*, *enough*
abbazia, *abbey*
abbondante, *abandoned*
abbronzatura, *sun-tan*
abitante (*m. or f.*), *inhabitant*
abitare, *to live*, *inhabit*
abiti (*m.pl.*), *clothes*
abitudine (*f.*), *habit*, *custom*
accanito, *desperately keen; furious*
accanto, *next* (*to*)
accarezzare, *to stroke*, *caress*
accento, *accent*
accettare, *to accept*
accogliere, *to welcome*, *greet*
accolto, *welcomed* (*p.p. of* accogliere)
accomodarsi, to sit down
accompagnare, *to accompany*, *come* (*or go*) *with*
accorgersi (che), *to notice* (*that*)*;* accorgersi (di una cosa), *to notice* (*something*)
accusa, *charge*, *accusation*
accusare, *to accuse*
acqua, *water*
acquistarsi, *to get*, *obtain*
acuto, *acute*
adulto, *adult*
affascinare, *to fascinate*
affatto, *quite*, *entirely;* non . . . affatto, *not . . . a bit*
affermare, *to declare*, *affirm*
afferrare, *to grasp*
affinchè, *so that*, *in order that*
affollatissimo, *very crowded*
affollato, *crowded*, *packed*
affrescare, *to fresco*, *cover with frescoes*
affresco, *fresco*
afroasiatico, *Afro-Asian*
agenzia, *agency*
aggiungere, *to add*
aggrottare (le sopracciglia), *to frown*, *knit one's brows*
agire, *to act*, *take action*
agitare, *to shake*, *wave*
agitazione (*f.*), *agitation*, *fuss*
agosto, *August*
agronomo, *agronomist*
aiutare, *to help*

aiuto, *help, assistance*
ala, *wing*
alba, *dawn*
albergo, *hotel, inn*
albero, *tree*
alcuni (*fem.* alcune), *some, a few*
alcuno, –a, *any*
allagare, *to flood*
allarme (*m.*), *alarm*
allearsi, *to ally oneself*
allegramente, *cheerfully, merrily*
allegro, *cheerful, gay*
alleviare, *to alleviate*
alloggio, *lodging(s), 'digs'*
allontanarsi (da), *to get away (from), go away (from)*
allora, *then*
allungarsi, *to get longer*
alluvione (*f.*), *flood*
Alpi (*f.pl.*), *the Alps*
alpino, *Alpine*
alto, *high, tall*
altro, *other*
altrove, *elsewhere*
alzare, *to raise;* si alza, (*he, etc.*) *gets up;* alzarsi, *to get up*
amare, *to love*
ambasciata, *message, embassy*
amico, *friend*
ammalato, *ill*
ammazzare, *to kill, murder*
amministrazione (*f.*), *administration*
ammonire, *to admonish, warn*
amore (*m.*), *love*
analfabetismo, *illiteracy*
anche, *too, also, even*
ancora, *again, still, yet*
andare, *to go*
andarsene, *to go away*
angelo, *angel*
animo, *mind, spirit*
anno, *year*
annoso, *old, full of years*
annuncio, *announcement, notice*
ansante, *panting, puffing*
antichità, *antiquity*
antico, *old, ancient*
anzi, *on the contrary, indeed*
anziano, *elderly, old*
aperto, *open*
all'aperto, *in the open (air)*
apparenza, *appearance*
apparire, *to appear*
appartamento, *flat*
appartenere, *to belong*
appassionarsi (a), *to be extremely fond (of)*
appena, *hardly, scarcely*
appendicite (*m.*), *appendicitis*
Appennini (*m.pl.*), *Appennines*
applaudire, *to applaud*
applauso, *applause*
apprese, (*he, etc.*) *learned, heard* (*p.hist. of* apprendere)
appuntamento, *appointment*
aprire, *to open*
arancia, *orange*
architetto, *architect*
architettura, *architecture*
arcivescovo, *archbishop*
arco, *arch*
aria, *air*
arrabbiarsi, *to get angry, lose one's temper*
arretrato, *backward*
arricchirsi, *to get rich*
armatura, *frame, armour*
armonia, *harmony*
armonioso, *musical, harmonious*
armonizzare, *to harmonise, blend*
arrestare, *to arrest*
arresto, *arrest*
arrivare (a), *to arrive (at)*
arriverderci, *goodbye*
arrivo, *arrival*
arte (*f.*), *art, skill*
articolo, *article*

artista (*m. or f.*), *artist*
ascensore (*m.*), *lift*
asciutto, *dry*
ascoltare, *to listen to; to hear*
aspettare, *to wait (for)*
aspetto, *appearance*
assai (*adv.*), *very, very much*
assemblea, *assembly, meeting*
assegno viaggiatori, *travellers' cheque*
assentarsi, *to be away, absent oneself*
assente, *absent*
assistere (a), *to take part (in)*
assoluto, *absolute*
assolvere (una funzione), *to perform, carry out (a function)*
assomigliare (a), *to resemble, to be like*
asta, *pole, staff*
atroce, *dreadful, atrocious*
attaccato (a), *attached (to)*
attirare, *to attract*
atto, *act*
attorno, *round, around*
attrarre, *to attract*
(at)traversare, *to cross*
attraverso, *across, through*
attualmente, *at present*
attutire, *to soften*
auguri! *best wishes!*
aula, *hall, large room, classroom*
aumentato, *increased*
aumento, *increase*
Austria, *Austria*
austriaco, *Austrian*
autoambulanza, *ambulance*
autobus (*m.*), *'bus*
automobile (*m. or f.*), *car*
automobilistico (*adj.*), *car, automobile*
autorimessa, *garage*
autostrada, *motorway*
autunno, *autumn*
avanzato, *advanced*
avere, *to have*
avvenimento, *event*
avventura, *adventure*
avviarsi, *to set out, make one's way*
avvicinarsi (a), *to approach*
avviso, *notice*
azione (*f.*), *action*

badare, *to mind; to care*
balbettare, *to stammer*
bambino, *child, baby*
banca, *bank*
banco, *counter, bench, seat*
bandiera, *flag*
baraonda, *babel, chaos*
barba, *beard;* si fa la barba, *he shaves (himself)*
barista (*m.*), *barman*
basare, *to base*
basso, *low*
bastare, *to be enough, suffice*
batteria, *battery*
battesimo, *baptism*
battezzare, *to baptise*
batticarne (*m.*) (or pestacarne), *meat-mallet*
battistero, *baptistery*
be', *well (short for bene)*
beccare, *to peck*
bellezza, *beauty*
bello, *beautiful, fine;* fa bello, *it's fine (weather)*
bendare, *to bandage, wrap round*
bene (*adv.*), *well*
benissimo, *very well (indeed)*
benedetto, *blessed*
benefattore (*m.*), *benefactor*
benzina, *petrol*
bere, *to drink*
bernoccolo, *bump*
bestemmiare, *to swear*
bestia, *beast, creature*

beve, (*he, etc.*) *drinks*
beveraggio, *beverage*
biblioteca, *library*
bicchiere (*m.*), *glass*
biglietto, *ticket*
bigodini (*m.pl.*), (*hair*)-*curlers*
biro (*f.*), *ball-point pen, biro*
bisbetico, *shrewish, crabby*
bisogna, *it is necessary, one has to*
bisogno, *need;* ho bisogno di . . ., *I need . . .*
bollettino meteorologico (*m.*), *the weather forecast*
bollire, *to boil*
bontà, *kindness, goodness*
borsaiuolo, *pickpocket*
bosco, *wood*
botte (*f.*), *barrel*
bottega, (*work*)*shop, studio*
bramare, *to long for*
branco, *flock, herd*
bravo, *good* (*generally = clever*)
breve, *short*
brillare, *to shine, gleam*
britannico, *British*
brusco, *abrupt, peremptory*
buca, *hole;* buca delle lettere, *letter-box*
bue (*m.*), *ox* (*pl.*: buoi)
buonissimo, *excellent, very good indeed*
buono, *good;* di buon'ora, *early*
burro, *butter*
bussare, *to knock*

cadere, *to fall*
caddero, (*they*) *fell* (*p.hist. of* cadere)
caffè (*m.*), *coffee; café*
calce (*f.*), *lime* (*not the fruit*)
calcio, *football*
caldo, *warmth, heat;* fa caldo, *it's hot* (*warm*)
calligrafia, *handwriting*
calmo: con calmo, *calmly, quickly*
calore (*m.*), *heat, warmth*
cambiare, *to change*
camera, (*bed*)*room*
cameretta, *little* (*bed*)*room*
cameriere (*m.*), *waiter*
camicia, *shirt, shift*
camion (*m.*), *lorry*
camminare, *to walk*
campagna, *country*(*side*)
campanello, (*electric*) *bell*
campanile (*m.*), *bell-tower, campanile*
campo, *field*
canale (*m.*), *canal*
cantare, *to sing*
capire, *to understand;* si capisce, *of course, naturally*
capitale (*f.*), *capital*
capitare, *to happen, befall*
capolavoro, *masterpiece*
capoluogo, *chief town* (*of province or region*)
cappello, *hat*
capriccio (*m.*), *whim, fancy, caprice*
caratteristica, *characteristic*
carcerato, *imprisoned*
carico, *charged* (*of a battery*), *loaded*
Carlo, *Charles*
carne (*f.*), *meat, flesh*
caro, *dear, beloved*
carta geografica, (*geographical*) *map*
casa, *house*
caserma, *barracks*
caso, *case*
catastrofe (*f.*), *catastrophe*
catena, *chain*
catrame (*m.*), *tar*
causa: a causa di, *because of*
causare, *to cause*
celebre, *famous*

cena, *supper*, *dinner*
centinaia, *hundreds*
centrale, *central*
centro, *centre*
ceppo, *bole* (*of tree*), *log*
cercare, *to look for*, *seek*
cercare (di + *infin.*), *to try* (*to*)
cerchiato, *black-ringed*
certamente, *certainly*
certo, *certainly*, *to be sure*
cervello, *brain*
cessare (di), *to stop*, *cease*
che, *which*, *who*, *that*
chi, *who*, *he or she who*
chiaro, *clear*, *bright*
chiacchierona, '*gas-bag*', *big gossip*
chiamare, *to call*
chiamarsi, *to be called*
chiaroscuro, *light and shade*, *chiaroscuro*
chiave (*f.*), *key*
chiedere, *to ask*
chiesa, *church*
chiese, (*he*, *etc.*) *asked* (*p.hist. of* chiedere)
chiesto, *asked* (*p.p. of* chiedere)
chilometro, *kilometre*
chitarra, *guitar*
chiuse, (*he*, *etc.*) *closed* (*p. hist. of* chiudere)
ci (*adv.*), *to it*, *there*, *etc.*
cianciare, *to chatter*
ciao, *hello; cheerio*
ciascuno, *each*
cibo, *food*
cielo, *sky*, *heaven*
cima, *top*, *peak*
cinquanta, *fifty*
cinquantamila, *fifty thousand*
cinque, *five*
cinquecento (*m.*), *the sixteenth century*
ciò, *that*
cioè, *that is*, *namely*
circa, *about*
circondato, *surrounded*
circostante (*m. or f.*), *bystander*, *onlooker*
circostanza, *circumstance*
città, *town*, *city*
cittadina, *small town*
civile, *civilised*, *civil*
civiltà, *civilisation*
classe (*f.*), *class*
clima (*m.*), *climate*
coda, *tail*
cofano, *bonnet* (*of car*)
colazione (*f.*), *breakfast* (*sometimes lunch*); far(e) colazione, *to have breakfast* (*lunch*)
collaboratore (*m.*), *collaborator*, *fellow-worker*
collaborazione (*f.*), *collaboration*
collera, *anger;* in collera, *angry*, *in a rage*
collina, *hill*
collo, *neck*
colonnello, *colonel*
colore (*m.*), *colour*
colpire, *to strike*, *hit*
colpo: di colpo, *suddenly*
colui (che), *he* (*who*), *the one* (*who*)
comandare, *to order*, *command*
combattere, *to combat*
come, *as*, *like*
cominciare (a), *to begin* (*to*)
commessa, *shop assistant*, *sales lady*
commosso, *touched*, *moved*
commovente, *moving*, *touching*
comodo, *comfortable*
compagno, *companion*
comparire, *to appear*
complesso, *complex*
completamente, *completely*, *absolutely*

comprare, *to buy, purchase*
compromesso, *compromise*
comunale (*adj.*), *town, city, borough*
comune, *common*
comunicare, *to communicate, to volunteer (information)*
comunicazione (*f.*), *communi-*cation
comunione (*f.*), *communion, Holy Communion*
comunista (*m. or f.*), *communist* (*pl.* comunisti)
con, *with*
condizione (*f.*), *condition*
condannare, *to condemn*
conducente (*m.*), *driver* (*of bus or tram*)
confinare (con), *to border* (*on*), *have frontiers* (*with*)
conoscere, *to know* (*person or place*)
conosciuto, *known* (*verb* conoscere)
consapevole, *aware*
consegnare, *to hand* (*over*), *deliver*
conseguenza, *consequence;* in conseguenza, *consequently*
considerato, *regarded*
consigliare, *to advise*
consiglio, *council, counsel, advice*
consistere, *to consist*
consolato, *consulate*
console (*m.*), *consul*
contadino, *peasant, countryman*
contare, *to count*
contemporaneo, *contemporary*
contenente, *containing*
contenere, *to contain*
contento, *content, pleased, happy*
contiene, (*it*) *contains* (*verb* contenere)
continuo: di continuo, *continually, all the time*
conto, *account*
contorno, *vegetables* (when accompanying meat or fish)
contrasto, *contrast*
contributo, *contribution*
contro, *against*
controllore (*m.*), *conductor* (*bus*), *ticket inspector* (*train*)
coperto (di), *covered* (*with*)
coppia, *couple*
corno, *horn;* le corna, *horns*
correzione (*f.*), *correction*
corriera, *bus*
corrispondenza, *correspondence*
corsa: di corsa, *hastily, in a hurry*
corse, (*f.pl.*), *the races*
corsia, *ward* (*of hospital*)
corte marziale (*f.*), *court-martial*
cortile (*m.*), *courtyard*
corvo, *raven, crow*
cosa, *thing;* (che) cosa? *what?*
coscienza, *conscience, anxiousness*
così, *so, thus*
costa, *coast*
costituire, *to constitute*
costo, *cost*
costretto (a), *forced, obliged* (*to*) *p.p. of* costringere)
costruire, *to build, construct*
costruttore (*m.*), *builder, constructor*
creare, *to create*
credenza, *sideboard*
credere, *to think, believe*
cretino, *idiot*
crivellato, *riddled*
croce (*f.*), *cross*
cucina, *cookery, cooking, kitchen*
cucinare, *to cook*
cugino, *cousin*
cui: il cui, la cui, *whose*

cultura, *growing of crops, culture*
culturalmente, *culturally*
cuoca, *cook*
cupola, *dome, cupola*
curare, *to care (about)*

da, *by, from (plus many idiomatic uses)*
dà (*he, etc.*) *gives*
danneggiare, *to damage*
dappertutto, *everywhere*
dapprima, *at first*
davanti (a), *in front, before*
davvero, *truly, really*
debole, *weak*
decadenza, *decadence*
decise, (*he, etc.*) *decided* (*p.hist.* decidere)
decisivo, *decisive*
dedicarsi (a), *to devote oneself* (*to*)
dedicato, *dedicated*
dedito, *given over* (*to*) *engaged* (*in*), *dedicated*
definitiva: in definitiva, *after all*
degno, *worthy*
delicatamente, *delicately*
delitto, *crime*
delizioso, *delightful*
deludere, *to disappoint*
democrazia, *democracy*
demolire, *to pull down, demolish*
denaro (or danaro), *money*
densamente, *densely*
dente (*m.*), *tooth*
dentista (*m.*), *dentist;* dal dentista, *to* (*at*) *the dentist's*
dentro, *inside*
deplorevole, *deplorable*
derubare, *to rob*
descritto, *described* (*p.p. of* descrivere)
descrivere (*p.p.* descritto), *to describe*
desiderare, *to want, wish*
destinare, *to destine*
destino, *fate, destiny*
destra, *the right hand;* a destra, *to the right*
detestare, *to loathe, detest*
detto, *said, told* (*p.p. of* dire)
deve, (*he, etc.*) *must*
devo, *I must, I have to*
dialetto, *dialect*
dice, (*he, etc.*) *says*
dicendo, *saying, telling*
dichiarare, *to declare*
dichiarazione (*f.*) *declaration*
dieci, *ten*
diede, (*he, etc.*) *gave* (*p. hist. of* dare)
dietro (a), *behind*
difendersi, *to defend oneself*
difetto, *defect, weakness*
difficile, *difficult*
dimenticare, *to forget*
dimenarsi, *to fidget, wriggle*
dimissione (*f.*), *dismissal*
dipinto, *painted* (*p.p. of* dipingere)
diploma (*m.*), *diploma*
dire, *to say, tell*
diritto, *straight*
disarmante, *disarming*
disastro, *disaster*
disboscamento, *deforestation*
disegnare, *to design, draw*
disegno, *design, drawing*
disgraziato, *unfortunate*
disgraziato (*m.*), *wretch, unfortunate person*
disinganno, *disillusionment*
disperato, *desperate*
disperso, *scattered, dispersed*
disse, (*he, etc.*) *said* (*p.hist. of* dire)
distanza, *distance*
distare, *to be far off* (*from*)

distillare, *to distil*
distogliere, *to distract*
distrattamente, *absentmindedly*
distrazione (*f.*), *absentmindedness*
dito, *finger* (*pl.* le dita)
ditta, *a firm*
diventare, *to become*
diverso, *several* (*before noun*), *different* (*after noun*)
divertirsi, *to enjoy oneself*
divino, *divine*
diviso, *divided* (*p.p. of* dividere)
dolce (*m.*), *small cake*, *sweet* (*course*)
domandare, *to ask*
domandarsi, *to wonder*
domani, *tomorrow*
domenica, *Sunday*
dominato, *dominated*
dominazione (*f.*), *domination*
donna, *woman*
dopo, *after*(*wards*)*;* dopo di che, *after which*
dopodomani, *the day after tomorrow*
dopoguerra (*m.*), *the post-war era*
dorato, *adorned*, *golden*, *gilded*
dormire, *to sleep*
dotto, *learned*
dove, *where*
dubbio, *doubt*
dunque, *then*, *therefore*
duomo, *cathedral*
durante, *during*

è, *is;* c'è, *there is*
ebbe, (*he*, *etc.*) *had* (*p.hist. of* essere)
ebbene, *well*, *well now*
eccetera, *etc.* (*abbrev.* ecc.)
eccezionale, *exceptional*
eccezione (*f.*), *exception*
eccitato, *excited*
ecclesiastico, *ecclesiastical*
ecco, *here is*, *look at*
eccomi! *here I am!*
economico, *economic*(*al*)
edificio, *building*
edizione (*f.*), *edition*
educazione (*f.*), *upbringing*
effetto, *effect*
effettivamente, *in fact*
eleganza, *elegance*
elegante, *elegant*, *smart*
emigrazione (*f.*), *emigration*
ente (*m.*), *board*, *public corporation*
entrambi, *both*
entrare (in), *to enter*, *go into*
entrata, *entrance*
entro, *within*, *in* (*of time*)
entusiasmo, *enthusiasm*
epitaffio, *epitaph*
epoca, *period*, *epoch*, *era*
eppure, *and yet*
equivoco, *misunderstanding*
erano, (*they*) *were*
eroe (*m.*), *hero*
errore (*m.*), *mistake*
esame (*m.*), *examination;* dare un esame, *to take an exam*
esaminare, *to look at carefully*, *examine*
esclamare, *to exclaim*, *cry*
escono (di), *they leave*, *go out of* (*verb* uscire)
esecuzione (*f.*), *execution*
eseguire, *to execute*, *carry out*
esempio, *example*
esercizio, *exercise*
esibizionista (*m.*), *exhibitionist*
esiliato, *exiled*
esistere, *to exist*
esitazione (*f.*), *hesitation*
esito, *outcome*, *result*

esperienza, *experience*
esperimento, *experiment*
esperto, *expert*
espresse, (*he, etc.*) *expressed* (*p.hist. of* esprimere)
espressione (*f.*), *expression*
esprimere, *to express*
essa, *it* (*f.*), *she*
essenzialmente, *essentially*
estate (*f.*), *summer*
estendersi, *to extend, spread* (*itself*) *out*
estero: all'estero, *abroad, overseas*
estivo (*adj.*), *summer*
estratto, *extracted* (*p.p. of* estrarre)
esule (*m.*), *exile*
età, *age*
eternamente, *eternally*
etruschi (*m.pl.*), *the Etruscans*
etruscologia, *Etruscology*
europeo, *European*
evasivo, *evasive*
evitare, *to avoid*
evocare, *to evoke, conjure up*

fa, *ago*
fabbrica, *factory*
faccia, *pres. subj. of* fare
faccia: di faccia, *opposite*
facciata, *front, west-front* (*of cathedral, etc.*), *façade*
facile, *easy*
facoltà, *faculty* (*of university*)
fama, *fame*
fame (*f.*), *hunger*
famiglia, *family*
familiare (*adj.*), *family*
famoso, *famous, celebrated*
fanno, *they make, etc.* (*verb:* fare, *which also has many idiomatic meanings*)
fannullone (*m.*), *lay-about, slacker, good-for-nothing*
fare, *to do; to make;* non fa niente, *it doesn't matter;* fa bello, *it's fine* (*weather*)*:* fa freddo, *it's cold:* fa caldo, *it's warm*

fascia, *bandage, cover*
fatto, *made, done, etc.* (*p.p. of* fare)
favoloso, *fabulous*
favore: a favore (di), *in favour* (*of*), *on behalf* (*of*)*;* per favore, *please*
favorevolmente, *favourably*
felice, *happy, lucky*
fermare, *to stop* (*trans.*)
fermarsi, *to stop, stay*
fermata, *stop*
ferroviario (*adj.*), *railway*
ferrovia, *railway*
fertile, *fertile*
fertilità, *fertility*
festa, *festival, public holiday*
fiasco, *flask*
figlia, *daughter*
filo, *thread*
filobus, *trolley-bus*
finalmente, *at last, finally*
finchè, *until*
fine (*f.*), *end*
finestra, *window*
finire, *to finish, end*
fino (a), *up* (*to*), *as far* (*as*)
fiore (*m.*), *flower*
fiorire, *to flourish*
Firenze, *Florence*
fischio, *whistle*
fisico, *physical*
fisionomista (*m.*), *physiognomist*
fissare, *to fix, arrange*
fissato (*m.*), *someone obsessed*
fiume (*m.*), *a* (*large*) *river*

fiumicello, (*small*) *river*
foglio, *sheet* (*of paper*), *leaf* (*of book, etc.*)
folla, *crowd*
fondare, *to found*
forestiero (forestiere), *foreigner, stranger*
formaggio, *cheese*
formare, *to form*
forno, *oven*
forse, *perhaps*
fortuna, *fortune, luck*
fortunatamente, *fortunately, luckily*
foto(grafia) (*f.*), *photo*(*graph*)
fra (or tra), *between, among, within* (*of time*)
francese, *French*
Francia, *France*
franco, *franc*
fratellanza, *brotherhood, brotherliness*
fratello, *brother*
freddamente, *coldly*
freddo, *cold;* fa freddo, *it's cold*
frequentare, *to attend, go to* (*classes, etc.*)
freschissimo, *very fresh* (*indeed*)
fresco, *fresh*
fritella, *pancake, fritter*
frizzante, *sparkling*
fronte (*f.*), *forehead*
frontiera, *frontier*
frugale, *frugal*
frugare, *to search*
frutta, *fruit*
fu, (*he, etc.*) *was*
frutti (*m. pl.*), *fruits*
fucile (*m.*), *gun*
fuggire, *to flee, run away*
fuoco, *fire*
fuori, *outside*
furbo, *sly, crafty*

G

galera: in galera, *in gaol*
galleria, *gallery, tunnel, arcade*
gallone (*m.*), *stripe, chevron*
garantire, *to guarantee*
gatto, *cat*
geloso, *jealous*
generale, *general*
gemere, *to groan*
generalmente, *generally, usually, as a rule*
generosità, *generosity*
generoso, *generous*
genio, *genius*
genitori (*m.pl.*), *parents*
gennaio, *January*
Gènova, *Genoa*
gente (*f.*), *people, folk*
gentile, *kind, nice*
geografia, *geography*
gesto, *gesture*
ghignare, *to sneer*
ghirlanda, *garland*
già, *formerly, once, already;* (*as strong affirmative*) *yes* (*to be sure*)
giacchè, *since*
giallo, *yellow*
giardino, *garden*
giocare, *to play*
giocatore (*m.*), player
gi(u)oco, *game*
gioia, *joy*
gioiello, *jewel*
Giorgio, *George*
giornale (*m.*), *newspaper*
giornalista (*m.*), *journalist*
giornata, *day*
giorno, *day*
giovane, *young*
giovanissimo, *very young* (*indeed*)
giovedì, *Thursday*
giovinetto, *youth, lad*
giovinezza, *youth*
girare, *to turn, move about*

gita, *trip, outing, excursion*
giù, *down(stairs);* in giù, *downwards, southwards*
giudicare, *to judge*
giugno, *June*
giunto, *reached, arrived* (*p.p. of* giungere (*a*))
giustamente, *rightly, justly*
gli, (*to*) *him*
gloria, *glory*
gobbo, *hunch-backed*
goccia, *drop*
godere, *to enjoy*
godimento, *enjoyment*
gonfio, *pumped up, swollen*
governo, *government*
gracchiare, *to caw, croak*
gradito, *welcome, appreciated*
grande, *big, great*
grasso, *fat*
grassoccio, *plump, chubby*
gratitudine (*f.*), *gratitude*
grato, *grateful*
grave, *serious, grave*
gravemente, *seriously, gravely*
grazie, *thank you, thanks*
greci (*m.pl.*), *the Greeks*
gridare, *to shout*
grigiore (*m.*), *greyness, drabness, dullness*
grugnire, *to grunt*
guardare, *to look* (*at*)*; to look after*
guardingo, *wary*
guastare, *to spoil, damage*
guasto, *damage*
guerra, *war*
guglia, *spire*
gustare, *to taste*

idea, *idea*
ideale, *ideal*
ieri, *yesterday*
illuso, (*day*)*dreamer, dupe*
imbarazzato, *embarrassed*
immaginare, *to imagine*
immagine (*f.*), *likeness, image*
immediato, *immediate*
immenso, *huge, immense*
immerso, *immersed*
imparare, *to learn*
imperdonabile, *unforgivable, inexcusable*
impermeabile, *waterproof, impermeable*
impiegare, *to employ*
impiegato, *clerk, employee*
importante, *important*
importanza, *importance*
importare, *to matter;* non importa, *it doesn't matter*
impostare, *to post*
impresa, *undertaking, enterprise*
impresario, *theatre-manager, impresario*
impressionato, *impressed*
imprigionare, *to imprison*
improvvisamente, *all of a sudden*
inadeguato, *inadequate*
inaugurare, *to inaugurate*
incantevole, *charming*
incanto, *charm, enchantment*
incaricare, *to commission*
incarico, *charge, job;* per incarico (di), *on behalf* (*of*)
incarnare, *to embody, represent*
incassare, *to cash* (*cheque*)
inchiesta, *inquest, enquiry*
incompiuto, *incompleted, incomplete*
incontrare, *to meet*
increspare, to curl, wrinkle
indagine (*f.*), *enquiry, research*
indicare, *to point out, indicate*
indice (*m.*), *forefinger, index-finger*
indimenticabile, *unforgettable*

individualista (*m.*), *individualist*
indomani: l'indomani, *the following day*
indossare, *to wear, put on* (*clothing*)
industriale, *industrial*
infatti, *in fact*
inferno, *hell*
infine, *at length, finally*
ingegnere (*m.*), *engineer*
ingegneria, *engineering*
ingegno: l'ingegno, *genius, talent*
Inghilterra, *England*
inglese, *English*
iniziare, *to begin, start*
iniziativa, *enterprise, initiative*
innato, *innate, born* (*in a person*)
inoltre, *further*(*more*)
inondazione (*f.*), *flood*
insalata, *salad*
insegnamento, *teaching*
inserire, *to insert*
insieme, *together*
insistere, *to insist*
in somma, *in short, to sum up* (*usually one word;* insomma)
insopportabile, *unbearable*
instancabile, *unwearying*
intanto, *meanwhile*
intendersi, *to get on* (*with someone*), *be agreed*
intensità, *intensity*
interessante, *interesting*
interno, *internal, the inside*
intervento chirurgico (*m.*), (*surgical*) *operation*
intitolato, *called, entitled*
intorno, *around*
intravedere, *to catch a glimpse* (*of*)
intuire, *to realise intuitively, guess*
invadere, *to invade, flock* (*to*)
invasore (*m.*), *invader*
invece, *instead, on the other hand*
invenzione (*f.*), *invention*
invernale (*adj.*), *winter*
inverno, *winter*
invitare, *to invite*
irascibile, *short-tempered, irascible*
irrequieto, *restless*
isola, *island*
issarsi, *to hoist oneself*
istintivamente, *instinctively*
istituto, *set up, instituted*
istituto, *institute, institution*
istituzione (*f.*), *institution*
istruzione (*f.*), *education, instruction*
Iugoslavia, *Yugoslavia*

là, *there*
labbra: le labbra, *lips*
lagnarsi (di), *to complain* (*about*)
lago, *lake*
laguna, *lagoon*
lamentarsi (di), *to complain* (*about*)
largo, *wide, lavish*
lasciare, *to leave, let*
lato, *side*
laurea, (*academic*) *degree*
lavare, *to wash*
lavarsi, *to wash* (*oneself*)*;* si lava, (*he, etc.*) *washes*
lavorare, *to work*
lavoro, *work*
Lazzaro, *Lazarus*
le (*conj. pron.*), *them* (*f.*)
legge (*f.*), *law*
leggere, *to read*
leggero, *light*
lei, *you, she*
leone (*m.*), *lion*
letargo, *lethargy, torpor*
lettera, *letter*

letteratura, *literature*
letto, *bed*
letto, *read* (*p.p. of* leggere); ho letto, *I have read*
lezione (*f.*), *lesson*
li, *them* (*m.*)
lì, *there*
libero, *free*
libro, *book*
liceo, *high school, grammar school*
lingua, *language, tongue*
liquore (*m.*), *liqueur*
lira, *lira* (*the only Italian monetary unit*)
lo (*conj. pron.*), *him, it*
locale, *local*
località, *locality, neighbourhood*
Londra, *London*
lontano, *far* (*away*)
luglio, *July*
luna, *moon*
lungo, *long*
lungo (*prep.*), *along, down*
luogo, *place, spot*
lusso: di lusso, *de luxe, luxury*
lussuoso, *luxurious*

ma, *but*
macchina, *car, machine*
madonna, *madonna, the Virgin Mary;* la madonnina, '*Little Madonna*'
maggioranza (*f.*), *the majority*
maggior(e), *greater;* il (la) maggior(e), *greatest*
magnifico, *magnificent, splendid*
magro, *thin*
mai, *never, ever*
malato, *sick person, patient*
malattia, *illness, sickness*
male (*adv.*), *badly;* il male, *pain, evil;* mi fa male, *it hurts me*
malgovernato, *misgoverned*
malgrado, *despite, in spite of*
maligno, *malign person, slanderer, ill-disposed person*
malinconia, *melancholy*
maltrattare, *to treat badly, bully*
mamma, *mamma, mother* (*very commonly used for 'mother' even by grown-ups*)
mancanza, *shortage, lack*
mancare, *to miss, be missing, be lacking, fail*
mandare, *to send*
mangiare, *to eat*
mànico, *handle*
maniera, *way, manner*
mano (*f.*), *hand*
manoscritto, *manuscript*
mantenersi, *to keep* (*oneself*)
marciapiede (*m.*), *platform* (*of a station*), *path*
mare (*m.*), *sea*(*side*)
maresciallo, *senior warrant-officer* (*W/o.I*), *senior police sergeant* (*of* carabinieri)
marina, *navy*
marito, *husband*
marittima, *maritime*
marmellata, *jam*
marzo, *March*
mascalzone (*m.*), *scoundrel*
massa, *mass*
massimo, *greatest, highest*
matrimonio, *marriage*
mattina, *morning*
matto, *madman*
mattone (*m.*), *brick*
mattutino (*adj.*), *morning*
maturità, *maturity*
mazza, *sledge-hammer, mallet*
me, *me*
medesimo, *same*
medico, *doctor*
medievale, *medieval*
medio, *average, intermediate*

medioevo, *Middle Ages*
meglio, *better*
membro, *member, limb*
meno, *less, least, minus*
mente (*f.*), *mind*
mentre, *while*
meravigliato, *astonished, very surprised*
meraviglioso, *wonderful, marvellous*
mercato, *market*
merci (*f.pl.*), *goods, wares*
meridionale, *south(ern)*
meridionale (*m.*), *a southerner, southern Italian*
merletti (*m.pl.*), *lace*
mese (*m.*), *month*
messaggio, *message*
messo, *put* (*p.p. of* mettere)
metà (*f.*), *half*
metodo, *method*
metro, *metre*
metropolitana, *underground (railway)*
mezzanotte (*f.*), *midnight*
mezzo, *half*
mezzo: in mezzo a, *in the midst of*
Mezzogiorno (*m.*), *the South*
migliaia, *thousands*
miglioramento, *improvement, betterment*
migliorare, *to improve, get better*
migliore, *better, best*
milanese (*m. or f.*), *Milanese, an inhabitant of Milan*
mille, *thousand*
minacciare, *to threaten*
minestra, *soup*
minimo, *least*
minuto, *minute*
mio (mia), *my, mine*
mise, *put* (*p.hist. of mettere*)
misterioso, *mysterious*
misura, *extent, measure*
mite, *mild*
mobili (*m.pl.*), *furniture*
moda, *fashion*
modello, *model*
modernizzare, *to modernise*
moderno, *modern*
modo, *way, method*
moglie (*f.*), *wife*
molto, *much, very* (*in* pl. *many, a lot of*)
monarca (*m.*), *monarch*
monastico, *monastic*
mondiale (*adj.*), *world*
mondo, *world*
montagna, *mountain*
montagnoso, *mountainous*
monumento, *monument*
morire, *to die*
moro, *Moor*
mortale, *mortal*
morte (*f.*), *death*
morto, *dead*
motore (*m.*), *engine, motor*
movimento, *movement*
mucchio, *pile, heap*
municipale, *municipal, town or city* (*adj.*)
muore, (*he, etc.*) *dies*
muoversi, *to stir* (*oneself*), *move* (*oneself*)
muratore (*m.*), *bricklayer*
muscolo, *muscle*
museo, *museum*
mutilato, *disabled person*
muto, *silent*

nacque, (*he, etc.*) *was born* (*p.hist. of* nascere)
napoleonico, *Napoleonic*
Napoli, *Naples*
nascita, *birth*
Natale (*m.*), *Christmas*
nato, *born* (*p.p. of* nascere)

naturale, *natural*
naturalmente, *naturally, of course*
nazionalità, *nationality*
nazione (*f.*), *nation*
ne, *of it, of them* (*c.f. French* 'en')
nè, *neither, nor;* nè . . .nè, *neither . . . nor*
nebbia, *fog*
nebbioso, *hazy, misty, foggy*
necessario, *necessary*
negozio, *shop*
neppure, *not ever*
nessuno, *nobody, no-one*
noia, *worry, trouble, boredom*
nome (*m.*), *name*
non, *not*
nonchè, *as well as*
nonna, *grandmother, grandma*
nord, *north*
nordico, *northern, from the North*
nord-ovest, *north west*
nostalgico, *homesick, nostalgic*
nostro, *our*
notevole, *considerable*
notevolmente, *notably, considerably*
notizia, *news*
noto, *well-known, known*
notte (*f.*), *night*
novantotto, *ninety-eight*
nove, *nine*
novembre, *November*
nubifragio, *cloudburst*
nuovamente, *afresh, again, newly*
nuovo, *new;* di nuovo, *again*

o . . . o, *either . . . or*
obbligatorio, *compulsory*
occhio, *eye*
occidentale, *western*
occupato, *busy*
occupazione (*f.*), *employment, occupation*
odore (*m.*), *smell*
offrire, *to offer*
oggi, *today*
oggigiorno, *these days, nowadays*
ogni, *all, every, each*
ognuno, *each* (*one*)
olio, *oil*
oltranza: ad oltranza, *out and out, uncompromising*
oltre, *more than, beyond*
oltre che . . . , *besides, in addition to . . .*
ombra, *shadow*
ombrello, *umbrella*
omesso, *omitted* (*p.p. of* omettere)
onore (*m.*), *honour*
opera, *work, output*
operazione (*f.*), *operation*
opportuno, *opportune, suitable*
oppure, *or* (*rather*)
ora (*adv.*), *now*
ora, *hour, time*
ordinare, *to order*
orecchio, *ear*
organizzare, *to organise*
organizzazione (*f.*), *organisation*
orgoglioso, *proud*
ormai, *now, by now*
oro, *gold*
orologio, *clock, watch*
orrore (*m.*), *horror*
ortodosso, *orthodox*
ospedale (*m.*), *hospital*
ospitalità, *hospitality*
ospite (*m. or f.*), *host*(*ess*), *guest*
osservare, *to observe, notice*
ostile, *hostile*
ottantanove, *eighty-nine*
ottenere, *to obtain, get*
ottimo, *excellent, very good*
ovunque, *everywhere*
ovvio, *obvious*

pace (*f.*), *peace*
pacifista (*m.*), *pacifist*
padre (*m.*), *father*
padrona di casa, *landlady*
paese (*m.*), *country* (*opp. of town*), *village, area*
paga, *pay, wages*
pagare, *to pay* (*for*)
pagnotta, *loaf*
paio, *pair, couple*
palazzo, *palace* (*often refers also to any large block of buildings*)
palco, *stage* (*theat.*)
panchetta, *bench*
panino, (*bread*)*roll*
panorama (*m.*), *view*
Paolo, *Paul*
Papa (*m.*), *The Pope*
parafulmine (*m.*), *lightning-conductor*
paralume (*m.*), (*standard*) *lamp*
parecchi, (parecchie *f.pl.*), *several*
parere, *to seem, appear*
parete (*f.*), (*inside*) *wall*
Parigi, *Paris*
parlamentare, *parliamentary*
parlare, *to speak, talk*
parola, *word*
parte (*f.*), *part*
partire, *to leave, set out*
partita, *game*
partito, *party* (*political*)
passare, *to pass, to spend* (*time*)
passato (*m.*), *the past*
passo, *pass, step*
pasto, *meal*
pastore (*m.*), *minister* (*of Protestant Church*); *shepherd*
patata, *potato*
patina, *coating, varnish*
patria, *country, fatherland*
patriota (*m.*), *patriot*
patriottico, *patriotic*
paura, *fear*
pavimento, *floor*
pazienza, *patience*
peccato, *pity, sin;* che peccato! *what a pity!*
pedagogia, *education, pedagogy*
peggio: il peggio, *the worst*
pellicia, *fur, fur coat*
penisola, *peninsula*
penoso, *painful, pitiful*
pensare, *to think*
perchè, *because, why*
perciò, *therefore, consequently*
perdere, *to lose*
perfettamente, *perfectly*
perfino, *even*
periferia, *outskirts*
periodo, *period*
perito, *expert, specialist*
permanenza, *stay, visit*
permesso, *pass, leave* (*military*)
però, *still, yet, however*
perseveranza, *perseverance*
perso (*or* perduto), *lost* (*p.p. of* perdere)
persona, *person*
personale, *personal*
personalmente, *personally*
persuaso, *persuaded* (*p.p. of* persuadere)
pesca, *fishing*
pescatore (*m.*), *fisherman*
pesce (*m.*), *fish*
pezzo, *piece*
piacere, *to please;* mi piace, *I like* (*it*); piacciono, (*they*) *please;* mi piacciono, *I like* (*them*)
piacevole, *pleasant, nice*
piacque, *pleased* (*p.hist. of* piacere)
piagnucolare, *to whimper*
piano, *plain*
pianta, *plant, tree*
piantare, *to plant*

pianterreno, *ground floor*
pianura, *plain*
piatto, *dish, course, plate*
piazza, *square*
piazzale (*m.*), *large square, open space*
piazzare, *to put, place*
piccolo, *small, little*
piccone (*m.*), *pick-axe, pick*
piedi: a piedi, *on foot*
piegare, *to fold*
Piemonte (*m.*), *Piedmont*
pieno, *full*
pieno: in pieno, *to the full, completely*
pietra, *stone*
pila, (*electric*) *battery*
piove, *it's raining*
piovere, *to rain*
piscina, *swimming-pool*
pista, *trail, track*
pistola, *pistol*
pittore (*m.*), *painter, artist*
pittoresco, *picturesque*
pittura, *painting*
più, *more, most*; il più, *the majority*, per lo più; *for the most part*
piuttosto, *rather*
platano, *plane-tree*
plotone (*m.*), *platoon, squad*
poco, *little, not much;* un po', *a little, a bit;* fra poco, *soon, shortly*
poesia, *poem*
poeta (*m.*), *poet*
poi, *then, next*
poichè, *since, as*
politica, *politics, policy*
polizia, *police*
poltrona, *armchair*
pomeriggio, *afternoon*
ponte (*m.*), *bridge*
popolare, *popular*
popolato, *populated*
popolazione (*f.*), *population*
popolo, *people* (*usually applies to an entire nation*)
porse, *handed* (*p.hist. of* porgere)
porta, *door, gate*
portafogli (*m.*), *wallet*
portafoglio, *wallet*
portare, *to bring, carry*
portar(e) via (a qualcuno), *to take away* (*from someone*)
portico, *portico*
portinaia, *concierge*
porto, *port, harbour*
posare, *to place, put*
posarsi, *to settle, perch*
posizione (*f.*), *position*
possedere, *to possess*
possente, *powerful*
possibilità, *chance, opportunity, possibility*
possiede, (*he, etc.*) *possesses* (*verb* possedere)
possiedono, (*they*) *possess* (*verb* possedere)
postale, *postal*
posto, *place, position*
potere, *to be able*
poveretto! *poor thing! poor fellow!*
povero, *poor*
pranzare, *to dine, have dinner* (*or lunch*)
pranzo, *lunch, dinner*
pratica, *practice*
pratico, *practical*
precedente, *previous, earlier*
precisamente, *to be exact, precisely*
preferire, *to prefer*
preferito, *favourite*
pregare, *to beg, pray, ask* (*courteously*)
pregiato, *valued, esteemed, prized*

premuroso, *carefully attentive, full of kindly concern*
prendere, *to take, fetch; to have (of food, etc.)*
prenotazione (*f.*), reservation, *booking*
preoccupazione (*f.*), *worry*
preparare, *to prepare*
preparatorio, *preparatory, elementary*
presentarsi, *to present oneself*
presi, *I caught, I took* (*p. hist. of* prendere)
presso, *with, near, at*
presto, *soon, quickly*
prete (*m.*), *priest*
prezioso, *precious*
prigione (*f.*), *prison*
prima (*adv.*), *before, at first;* prima di, *before*
primavera, *Spring*
primo, *first*
principale, *chief, principal*
principato, *principality*
problema (*m.*), *problem*
prodigio, *miracle, marvel*
prodigo, *prodigal*
produzione (*f.*), *production*
professoressa, (*lady*) *lecturer, high school mistress*
profeta (*m.*), *prophet*
programma (*m.*), *programme*
proibire, *to prohibit, ban*
proiettile (*m.*), *bullet*
propagare, *to propagate, spread*
proposta, *proposal*
proprio (*adj.*), *own, one's own*
proprio (*adv.*), *quite, really*
prospero, *prosperous*
prossimo, *next*
protagonista (*m. or f.*), *protagonist*
proteggere, *to protect*
prova, *proof, test*
provenire, *to come* (*from*)
proverbiale, *proverbial*
provvedere, *to provide for, see to*
pubblicare, *to publish*
pugno, *fist*
punire, *to punish*
punto, *point*
purtroppo, *unfortunately*

qua, *here*
quadrato, *square*
quadro, *picture, painting*
quaggiù, *down here, over here*
qualchevolta, *sometimes*
qualcosa, *something*
qualcuno, *someone*
quale, *which, what, as, such as*
quando, *when*
quanti (fem. quante), *how many*
quartiere (*m.*), *area, quarter, district*
quasi, *nearly*
quattrini (*m. pl.*), *money, cash*
quattro, *four*
quello, *that*
quercia, *oak* (*tree*)
questi, *the latter*
questo, *this*
questura, *police station*
qui, *here*
quindi, *therefore*
quindicina (di giorni), *fortnight*

rabbia, *rage, anger*
raccontare, *to tell, relate*
ragazzo, *boy*
raggiungere, *to reach*
ragionare, *to talk, reason*
ramo, *branch*
rancio, *ration*
rapido, *express* (*train*)
rassicurato, (*re*)*assured*
realistico, *realistic*

recarsi (a), *to go (to), to betake oneself (to)*
refettorio, *refectory*
regina, *queen*
regione (*f.*), *region*
regnare, *to reign*
regno, *kingdom*
regola, *rule*
relativamente, *relatively*
rendere, *to make, render; to give back*
replicare, *to repeat; to reply, retort*
repubblica, *republic*
residente, *residing, resident*
residenza, *residence*
respirare, *to breathe*
respiro, *breathing, breath*
restaurare, *to restore*
restauro, *restoration*
resto, *change (i.e., money)*
restrizione (*f.*), *restriction*
retorica, *rhetoric*
riattaccare, *to ring off, hang up the (telephone) receiver*
ribelle, *rebellious*
ricco, *rich*
ricevere, *to receive, get*
ricomparire, *to appear again*
ricoperto (di), *covered (with)*
ricordare, *to remember, to remind*
ricordo, *memory, keepsake*
ricostruire, *to rebuild, reconstruct*
ricreare, *to re-create, amuse*
ricuperare, *to recover, get back*
ridare (a), *to give again (to)*
ridere, *to laugh*
riempire, *to fill*
rientrare, *to come in again*
riesco (a), *I manage (to). I succeed in (verb* riuscire)
rifatto, *re-made, rebuilt, restored*
riflettere, *to reflect*
riformatore (*m.*), *reformer*
rifugiarsi, *to take refuge*
riguardo, *regard, respect*
rilevante, *considerable, significant*
rimasero, *(they) remained (p. hist. of rimanere)*
rimediare (a), *to remedy, put right*
riposarsi, *to rest*
rimproverare, *to reprove, 'tell off'*
Rinascimento, *Renaissance*
rincasare, *to go home, return (home)*
ringraziare, *to thank*
riparato, *repaired*
ripido, *steep*
riportare, *to bring back*
riposo, *rest*
riprendere, *to go on (speaking, etc)*
risalire, *to get into again (car, etc.), go up again*
risalire (a), *to go (date) back (to)*
risata, *laugh, burst of laughter*
rischiare, *to run the risk (of) to risk*
riservare, *to reserve*
riservato (a), *reserved (for)*
risolsero, *(they) determined, resolved (p. hist. of* risolvere)
risorsa, *resource*
risparmiare, *to save, spare*
rispondere, *to answer, reply*
rispose *(he, etc.) replied, answered (p. hist. of rispondere)*
ristabilirsi, *to get well again, get better*
risultato, *result*
risveglio, *awakening*
ritorno, *return*
ritratto, *portrait*
riunione (*f.*), *meeting*
riuscire (a), *to manage (to), to succeed (in)*
riva, *bank (of river, etc.)*
rivedere, *to see again*

rivista, *magazine*
rivolgersi (a), *to turn (to), to apply (to)*
rivolta, *rebellion, revolt*
rivoluzionario, *revolutionary*
roba, *stuff, 'things'*
romano, *Roman*
romantico, *romantic*
romanzo, *novel*
rompere, *to break*
rubare, *to steal, rob*
rumore (*m.*), *noise*
ruota, *wheel, tyre (sometimes used in place of* gomma)

sai? *do you know?*
sala (*f.*), *room*
salire, *to go up, get into*
salotto, *lounge, sitting-room*
salute (*f.*), *health, safety*
saluti (*m. pl.*), *greetings*
salvare, *to save*
salvietta, *table-napkin, serviette*
sangue (*m.*), *blood*
santo, *holy, saint*
sapere, *to know (a fact)*
saporito, *tasty*
Sardegna, *Sardinia*
sbagliato, *mistaken*
sbalordito, *astonished*
sbandarsi, *to disperse, scatter*
sbarcare, *to disembark*
sbirciare, *to eye, cast a sidelong glance at*
sbocciare, *to open (of flowers, buds)*
sbocco, *outlet, entrance, mouth (of river)*
sbrigarsi, *to hurry up, get a move on*
scacciare, *to drive away*
scaffale (*m.*), *bookcase, bookshelf*
scaldare, *to warm*
scambiare, *to exchange*
scampo, *escape*
scapolo, *bachelor*
scappare, *to run away, escape*
scatola, *tin, box*
scegliere, *to choose*
scelta, *choice*
scendere, *to go down(stairs), descend*
scialle (*m.*), *shawl*
scienziato, *scientist, man of science*
sciopero, *strike*
scolastico, *scholastic, school (adj.)*
scompartimento, *compartment, division*
sconcertante, *disconcerting*
sconfinato, *infinite, boundless*
scongiurare, *to beseech, beg (and pray)*
sconosciuto, *unknown*
scontento, *unhappy, displeased*
scoperta, *discovery*
scordare, *to forget*
scorso, *last*
scosse, *(he, etc.) shook (p. hist. of* scuotere)
scritti (*m. pl.*) *writings*
scritto, *written (p.p. of scrivere)*
scrittore (*m.*), *writer*
scrivere, *to write*
scultore (*m.*), *sculptor*
scuola, *school*
scusa, *an excuse*
sdraiato, *stretched out, lying at full length*
sebbene, *although*
secolare, *centuries-old*
secolo, *century*
secondo, *second*
secondo (*prep.*), *according to;* secondo me, *in my opinion*
sede (*f.*), *seat, centre*
sedia, *chair*

sedile (*m.*), *seat* (*in public transport vehicle, car, etc.*)
seduta, *session, sitting*
seduto, *sitting, seated*
segnale (*m.*), *signal*
segretaria, *secretary*
seguente, *following*
seguire, *to follow*
seguito: in seguito, *after that*
sembrare, *to seem*
semplice, *simple*
sempre, *always*
sensibile, *sensitive*
sentimentale, *sentimental*
sentire, *to hear; to feel; to smell;* sentire parlare (di), *to hear* (*about*)
sentirsi, *to feel*
sentitamente, *warmly, with all one's heart*
senza, *without;* senz'altro, *without fail, doubtless*
separato (da), *separate*(*d*) (*from*)
separazione (legale), (*f.*), (*legal*) *separation*
sera, *evening*
serale (*adj.*), *evening*
sereno, *clear calmness*
sergente (*m.*), *sergeant;* sergente maggiore, *sergeant-major*
servizio, *service*
sessanta, *sixty*
sette, *seven*
settembre, *September*
settentrionale, *north*(*ern*)
Settentrione (*m.*), *the North*
settimana (*f.*), *week*
severo, *strict, severe*
sevizia, *savagery, barbarity*
sfinito, *tired out, exhausted*
sfruttare, *to exploit, take advantage of*
sgabello, *stool*
sgarbato, *ill-mannered, impolite*
sì, *yes*
sia che (+*subj.*), *whether*
siccome, *as, since*
Sicilia, *Sicily*
siciliano, *Sicilian*
sicuramente, *assuredly, certainly*
sicuro, *sure, certain*
significare, *to mean*
signora, *lady*
signore (*m.*), *gentleman*
signorina, *young lady*
silenzio, *silence*
sillaba, *syllable*
simbolo, *symbol*
simpatico, *nice*
sindaco, *mayor*
sinistra (*f.*), *left hand*
sistema (*m.*), *system*
situato, *situated*
smettere (di), *to leave off, stop* (*doing something*)
smorfaccia, *wry face, grimace*
sociale, *social*
socialista, *socialist*
soddisfazione (*f.*), *satisfaction*
sofferenza, *suffering*
sofferto, *suffered* (*p.p. of* soffrire)
soffitta, *attic, loft* (*of a house*)
soffitto, *ceiling*
soggiungere, *to add*
soldato, *soldier*
soldi (*m.pl.*), *money, cash*
sole (*m.*), *sun*
solito, *usual;* di solito, *usually*
solo, *single, only;* non solo, *not only*
soltanto, *only*
somma, *sum* (*of money*)
sommo, *very great*
sonnecchiare, *to doze, slumber*
sonnetto, *sonnet*
sono, *I am; they are;* ci sono, *there are*
sopportare, *to endure, stand, bear*

sopra, *on, upon, above*
soprattutto, *above all, especially*
sorella, *sister*
sorgere, *to rise*
sorridere, *to smile*
sorriso, *smile*
sorso, *sip*
sorto, *arisen, sprung up* (*p.p. of* sorgere)
sospettoso, *suspicious*
sospiro, *sigh*
sostanzioso, *substantial*
sostare, *to stop, pause*
sostegno, *support*
sottana, *cassock, skirt*
sotterraneo, *underground*
sottinteso, *implicit meaning, allusion*
sotto, *under*
sottoposto (a), *submitted* (*to*)
sottotenente (*m.*), *second-lieutenant*
sottufficiale (*m.*), *N.C.O.*
spalla, *shoulder*
spandere, *to scatter, pour out*
spaventare, *to frighten, terrify*
spazioso, *spacious*
spazzacamino, *chimney-sweep*
specie (*adv.*), *especially*
specie (*f.*), *sort, kind*
spendere, *to spend*
speranza, *hope*
sperare, *to hope*
spesse volte, *often, frequently*
spesso, *often*
spettatore (*m.*), *spectator*
spiace: mi spiace, *I'm sorry*
spiacevole, *unpleasant, unfortunate*
spiaggia, *beach*
spiccioli (*m.pl.*), *change, small change*
spiegare, *to explain*
spingere, *to push*
splendore (*m.*), *splendour*
sport (*m.*), *sport*
sportivo, (*of a car, etc.*), *'sports'*
sposarsi, *to marry, get married*
sposato, *married*
spuntare, *to shoot* (*sprout*) *forth*
squadra, *team*
squisito, *delicious*
stabilire, *to establish*
stabilità, *stability*
stagione (*f.*), *season*
stallone (*m.*), *stallion*
stamattina, *this morning*
stanza, *room*
stare, *to be, to stay*
Stati Uniti, *U.S.A.*
stato, –a, *been* (*p.p. of* essere *and* stare)
stato, *condition, state*
statua, *statue*
stavolta (questa volta), *this time*
stazione (*f.*), *station*
stesso, –a, *same, self* (*oneself, himself, etc.*)
stette, (*he, etc.*) *stood; was* (*p. hist. of* stare)
stile (*m.*), *style*
stizzosamente, *irritably, testily*
storia, *history, story*
storico, *historical*
strada, *street, road*
stradino, *roadman, roadmender*
straniero, *foreign, strange*
straniero (*m.*), *foreigner, stranger*
strano, *strange*
straordinariamente, *remarkably*
strepito, *din, hubbub*
stretto, *narrow*
stringere, *to clench, squeeze*
strofa, *verse* (*of poetry*)
studente (*m.*), *student*
studentessa (*f.*), (*girl*) *student*
studiare, *to study*
studio, *study*

stupendo, *stupendous, fabulous*
stupidaggine (*f.*), *nonsense, foolishness*
su, *on, about*
subire, *to undergo*
sùbito, *at once, immediately*
sublime, *sublime*
succedere, *to succeed, happen, go on*
sud, *south*
sudore (*m.*), *sweat, perspiration*
suo, *his, her, its*
suonare, *to play* (*instrument*)*; to ring* (*bell*)
superfluo, *superfluous, unnecessary*
superiore, *advanced, superior*
svanito, *vanished*
svantaggio, *disadvantage*
svegliare (*trans.*), *to wake* (*up*)
svegliarsi, *to wake up, awaken*
sviluppare, *to develop*
Svizzera, *Switzerland*

tacchino, *turkey*
taccola (*f.*), *jackdaw*
tale, *such*
talento, *talent, gift*
talvolta, *sometimes*
tanto, *so, so much;* (*pl.*) (*so*) *many, a lot of*
tappeto, *carpet*
tappezzeria, *tapestry*
tardare, *to delay, be late*
tardi, *late*
tasca, *pocket*
tassì (*m.*), *taxi*
tavola, *table*
tazza, *cup*
tè (al limone) (*m.*), (*lemon*) *tea*
teatro, *theatre*
tecnico, *technical*
tedesco, *German*
telefonare (a), *to* (*tele*)*phone*
telefono, *telephone*
telegrafo senza fili, *wireless*
televisivo (*adj.*), *television*
televisore (*m.*), *television* (*set*)
tema (*m.*), *composition*
tempaccio: che tempaccio! *what awful weather!*
tempo, *time, weather*
tenace, *tenacious*
tendenza, *tendency*
tenera, *tender*
teneramente, *tenderly*
tenere, *to hold*
tentare, *to try, endeavour*
tepore (*m.*), *warmth*
terminare, *to finish, end*
terra, *ground, earth*
terracotta (*f.*), *earthenware*
tesoro, *treasure, darling*
testa, *head*
testamento, *will, testament*
Tevere (*m.*), *the Tiber*
ti, *you, to you* (*familiar form*)
tiene, *holds* (*verb* tenere)
timbro, *date-stamp*
tinello, *breakfast-room*
tipicamente, *typically*
tipico, *typical*
tipo, *kind, type*
tipo (*coll.*), *chap, fellow*
tiranno, *tyrant*
tiratura, *circulation* (*of newspapers, etc.*)
tirchio, *stingy, close-fisted*
togliere, *to take away, remove*
tomba, *tomb*
torinese, *person from Turin* (*m. and f.*)
Torino, *Turin*
tormentare, *to torment*
tornare, *to return*
tornarsene, *to come back, return*
torre (*f.*), *tower*

traccia, *trace*
traditore, *treacherous*
tradizionalmente, *traditionally*
tradotto, *translated* (*p.p. of* tradurre)
tragico, *tragic*
tram (*m.*), *tram*
tranne, *except*
tranquillo, *peaceful, calm*
trascurare, *to neglect*
trasferirsi, *to transfer oneself* (*to*)
trasmettere, *to transmit*
trattare, *to treat;* *si tratta di, *it's a matter of, it's a question of*
trattoria, *restaurant* (*usually small*)
traversare, *to cross*
tre, *three*
treno, *train*
trenta, *thirty*
trentasette, *thirty-seven*
triade (*f.*), *triad*
trionfare, *to triumph, win*
trono, *throne*
troppo (*adj.*), *too, too much* (*pl. to many*)
troppo (*adv.*), *too much*
trovarsi, *to be, be situated;* si trova, *is, is found*
tumulto, *uproar*
turismo, *tourism, the tourist industry*
turista (*m. or f.*), *tourist*
tutelare, *guardian*
tuttavia, *however*
tutto, *all;* tutti e due, (*f.* tutte e due), *both* (*often contracted to* tutt'e due); del tutto, *utterly, completely*
tuttora, *still*

ufficiale (*m.*), *officer, official*
ufficcio, *office*
uguale, *the same, equal*
uh! *oh!*
ultimamente, *latterly*
ultimo, *last*
umanesimo, *humanism*
umanità, *humanity*
umiliazione (*f.*), *humiliation*
una: l'una, *one o'clock*
undici, *eleven*
undici: le undici, *eleven o'clock*
unico, *only*
unirsi (con), *to join, unite* (*with*)
unito, *united*
università, *university*
uno (una), *one, a*(*n*)
uomo, *man* (*pl.* uomini)
uscio, (*street*)*door*
uscire, *to go out*

va, *goes* (*verb* andare); va bene, *alright, O.K.*
vacanza, *holiday*
vagabondare, *to wander about*
valle (*f.*), *valley*
valore (*m.*), *value, valour*
vantare, *to boast* (*of*)
vaporetto, '*vaporetto*', *water-bus*
Varietà (*m.*), *Variety Theatre*
varietà, *variety*
vario, *different, various*
vasto, *vast*
vecchio, *old*
vedere, *to see*
vendere, *to sell*
vendemmia, *grape-harvest*
venditore ambulante (*m.*), *hawker, pedlar*
veneziano, *Venetian*

**Often impossible to translate literally, e.g.* (*in a newspaper account*)*:* Si tratta di un certo Signor Rossi '*The person in question is a Mr Rossi*'.

venire, *to come*
ventinove, *twenty-nine*
vento, *wind*
ventotto, *twenty-eight*
ventuno, *twenty-one*
venturo, *next, coming (year, etc.)*
veramente, *really*
verde, *green*
verdura, *greens, green vegetables*
verificare, *to check, verify*
vero, *real, true*
verso, *towards (of time) about*
vestaglia, *dressing-gown*
vestibolo, *entrance-hall*
vestire, *to clothe, put on (a garment)*
vestirsi, *to dress (oneself);* si veste, (*he, she, etc.*) *dresses*
vettura, *car, carriage*
vi (*adv.*), *to it, on it, there, etc.*
via: per via di, *on account of*
viaggiare, *to travel*
viaggiatore (*m.*), *traveller*
viaggio, *journey*
viale (*m.*), *avenue*
vicinanza, *neighbourhood*
vicino (a), *near (to)*
vicolo, *lane, alley*
video, *screen (of television)*
vidi, *I saw (p.hist. of vedere)*
viene, (*he, etc.*) *comes (verb* venire)
vigile (*m.*), *policeman*
villaggio, *village*
vino (da tavola), *(table-) wine*
viola, *violet*
violenza, *violence*
visita, *visit; (medical) examination*
visitare, *to visit; to examine (a patient)*
visse, (*he, etc.*) *lived (p.hist. of* vivere)
vista, *view*
visto, *seen (p.p. of vedere)*
vita, *life*
vittima (*f.*), *victim*
vivere, *to live*
voce (*f.*), *voice*
voglia, *wish*
voialtri, *you people, you folk*
volare, *to fly*
volentieri, *gladly, willingly*
volere (*m.*), *wish, desire*
volle, (*he, etc.*) *wanted (verb* volere)
volontà, *will*
volta, *a time (French: 'une fois')*
volta, *vault, ceiling (of church, etc.)*
voltarsi, *to turn*
volto (*m.*), *countenance, face*
volume (*m.*), *volume*
vuole, (*he, etc.*) *wants, wishes (verb* volere)

zitto, *quiet, silent*
zona, *area, region, zone*